BLEACH The Death Save The Strawberry

contents

朽木《くちき》ルキア

黒崎一護と彼女が出会ったことで、物語ははじまった。

井上《いのうえ》織姫《おりひめ》

一護の同級生。彼とともに多くの戦いに臨んだ少女。盾舜六花《しゅんしゅんりっか》の使い手。

有沢《ありさわ》竜貴《たつき》

織姫の親友。空手では全国級の力を持つ少女。

浦原《うらはら》喜助《きすけ》

元十二番隊隊長。藍染が狙った「崩玉」を生み出した。

握菱《つかびし》鉄裁《テッサイ》

元鬼道衆総帥・大鬼道長。現在は浦原商店で喜助とともに活動している。

四楓院《しほういん》夜一《よるいち》

元二番隊隊長。猫の姿をしていることも多い。一護の力を引き出した。

石田《いしだ》雨竜《うりゅう》

滅却師《クインシー》の少年。一護と数多の死線を超えてきた。

紬屋《つむぎや》 雨《ウルル》

浦原商店の店員である少女。小さな見た目からは想像もつかない戦闘力を有している。

花刈《はなかり》ジン太《た》

浦原商店の店員である少年。一護の妹、遊子の事を意識しているようだ。

志波《しば》空鶴《くうかく》

流魂街《ルコンがい》に居を構える花火師。性格は豪胆にして快活。

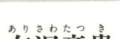

MAIN CHARACTERS

平子真子《ひらこしんじ》

元五番隊隊長。101年前、藍染の罠により虚《ホロウ》化してしまう。

六車拳西《むぐるまけんせい》

元九番隊隊長。冗談の通じない性格。幼い頃の檜佐木を救った。

久南《クナ》 白《ましろ》

元九番隊副隊長。子どもっぽいところがある。拳西とは長いつきあい。

鳳橋楼十郎《おおとりばしろうじゅうろう》

元三番隊隊長。愛称は「ローズ」。音楽を愛する男。

藍染惣右介《あいぜんそうすけ》

元五番隊隊長にして尸魂界《ソウル・ソサエティ》の最大の敵。その企みは多くの人を傷つけた。

猿柿《さるがき》ひよ里《り》

元十二番隊副隊長。「ハゲ」が口癖で、少し乱暴。

愛川《あいかわ》羅武《ラブ》

元七番隊隊長。少年ジャンプが愛読誌の男。

矢胴丸《やどうまる》リサ

元八番隊副隊長。エロ本に並々ならぬ関心がある。

有昭田《うしょうだ》鉢玄《はちげん》

元鬼道衆・副鬼道長。愛称は「ハッチ」。

市丸《いちまる》ギン

元三番隊隊長。藍染に従い尸魂界に謀反するが、本心は別にあった。

山本元柳斎重國《やまもとげんりゅうさいしげくに》

一番隊隊長にして護廷十三隊総隊長。炎熱系最強最古の斬魄刀《ざんぱくとう》を振るう。

吉良《きら》イヅル

三番隊副隊長。雛森、恋次と同期。市丸に対しては複雑な思いを抱いている。

虎徹勇音《こてついさね》

四番隊副隊長。清音の姉。背の高いことが悩み。

雛森《ひなもり》 桃《もも》

五番隊副隊長。吉良、恋次と同期で、日番谷の幼なじみ。藍染を心から尊敬していた。

阿散井恋次《あばらいれんじ》

六番隊副隊長。一護と多くの戦いを共にしてきた。卍解を習得している。

射場鉄左衛門《いばてつざえもん》

七番隊副隊長。元は十一番隊所属。仁義にあつい男。

伊勢七緒《いせななお》

八番隊副隊長。眼鏡をかけた、冷静な居住まいの女性。

砕蜂《ソイフォン》

二番隊隊長。隠密機動を束ねる。夜一のことを慕っている。

卯ノ花《うのはな》 烈《れつ》

四番隊隊長。優しげに見えるが、時々怖い。

山田花太郎《やまだはなたろう》

四番隊第七席。ヘタレて見えるが、斬魄刀の力は更木も一目置く。

朽木白哉《くちきびゃくや》

六番隊隊長。名門朽木家の現当主であり、ルキアの兄。

狛村左陣《こまむらさじん》

七番隊隊長。獣の姿をしている。よく犬と散歩している姿を見うけられる。

京楽春水《きょうらくしゅんすい》

八番隊隊長。飄々と振る舞っているがその洞察は深い。

檜佐木修兵《ひさぎしゅうへい》

九番隊副隊長。瀞霊廷《せいれいてい》通信の編集長代理。何かと扱いがかわいそう。

日番谷冬獅郎《ひつがやとうしろう》

十番隊隊長。史上最年少で隊長になった天才。乱菊に振り回される。

更木剣八《ざらきけんぱち》

十一番隊隊長。最強の死神である「剣八」の名を持つ。

斑目一角《まだらめいっかく》

十一番隊第三席。密かに卍解を習得している猛者。

涅《くろつち》マユリ

十二番隊隊長であり技術開発局局長。研究や実験のためなら犠牲をいとわない。

浮竹十四郎《うきたけじゅうしろう》

十三番隊隊長。京楽とは同期。病弱で床に臥せていることが多い。

小椿仙太郎《こつばきせんたろう》

十三番隊、清音と同じく第三席。清音とよく張り合っている。

松本乱菊《まつもとらんぎく》

十番隊副隊長。妖艶な美女…だが気分屋で仕事は少しサボりがち。

草鹿《くさじし》やちる

十一番隊副隊長。常に剣八と行動をともにする少女。

綾瀬川弓親《あやせがわゆみちか》

十一番隊第五席。独特の美学に従い生きる男。

涅《くろつち》ネム

十二番隊副隊長。マユリにより造り出された死神。

虎徹清音《こてつきよね》

十三番隊第三席。勇音の妹。ルキアが就任するまで副隊長代理を務めた。

黒崎一護《くろさきいちご》　藍染との戦いで力を失った少年。

BLEACH

The Death Save The Strawberry

kubotite
matsubaramakoto

JUMP j BOOKS

＊＊＊

空座《からくら》第一高校の校庭には、大きな桜の木があるの。

そのすぐ隣には掲示板があって、そこには、入学試験の合格発表も新学年のクラス分けも生徒会選挙の結果も各部活からの部員募集のポスターも、学校に関するいろんな情報が張り出される。

だから、印象的な思い出は、いつもこの桜とセットで記憶されていて。

高校二年生になって初めて登校した日。

あたしはこの掲示板を見上げて、張り出された新しいクラス名簿の中から、自分の名前を探した。

二年二組、井上織姫《いのうえおりひめ》。

五十音順に並んでいたから、すぐに見つかった。

隣で同じように掲示板を見ていたたつきちゃんが、ちょんちょん、とあたしの肩をつついてから、「織姫、あんた一護《いちご》と同じクラスだよ！」と小声で教えてくれた。「よかったじゃん！」って、たつきちゃんがほほ笑《え》む。

見上げた先に、大好きな人の名前と、桜の優《やさ》しいピンク色。


春です。

あの戦いから、約五か月。

あたしたちは、高校二年生になりました。

1

空座町《からくらちょう》・笠咲《かさざき》墓地。

穏《おだ》やかに晴れた空の下、制服のそでをまくって墓石を掃除《そうじ》している少女がいた。

「今日はほんとにあったかいねぇ、お兄ちゃん！」

そこに眠る今は亡《な》き兄に、にこやかに語りかける。暖かみのある茶色い髪が、春風を受けてふんわりと揺れた。

井上織姫《いのうえおりひめ》である。

織姫は、水に濡《ぬ》らし固く絞《しぼ》った布巾《ふきん》で丁寧《ていねい》に墓石を拭《ふ》いていく。隅々《すみずみ》までピカピカに拭きあげ、持参した花を花立《はなたて》に生けた。

「久しぶりになっちゃってゴメンね。そのお詫《わ》びと言っちゃあなんですが……じゃじゃーん！」

脇《わき》に置いてあった紙袋から、パステルピンクと白のストライプ模様のケーキボックスを取り出し、高々と頭上に掲《かか》げる。

「『ＡＢＣｏｏｋｉｅｓ』のケーキでーす！　最近近所においしいケーキ屋さんができた、ってことはうちでも話したけど、いつもどーしてもガマンできなくなって家に着く前に食べちゃうから、実物見せるのは初めてだよね！　ほら、見て見てっ！」

言って、箱を開ける。中には、ふわふわのクリームがこんもりと載《の》ったカップケーキが二つ入っていた。織姫はキラキラと目を輝かせながら、そのうちの一つを取り出し、墓石に掲げて見せた。

「これが、あたしがいっちばん好きな、マジカル・マスカルポーネ！　このクリームにマスカルポーネチーズが入ってるからクリーミーなのにさっぱりしてて、バニラ風味の甘いふわんふわんの生地《きじ》と相性《あいしょう》ピッタリで、もういくらでも食べられちゃうの！」

　そう力説し、「はいっ、お兄ちゃんもどうぞー」と、もう一つのカップケーキを箱ごと墓石に供《そな》えた。「ふぉわぁあぁあぁ……！」「おいしゃわぁあぁあ……！」と言葉にならない声をもらしつつ、織姫はそのケーキを、

「ゴメンねお兄ちゃん……ガマンできなくて……」

　一気に二つ、完食した。

　もし兄の昊《そら》がこの場にいたなら、『織姫は本当においしそうに食べるから、それを見て

いるだけで幸せになれるよ』と優《やさ》しくほほ笑《え》んだことだろう。実際に、偶然街中《まちなか》でケーキを頬張《ほおば》っている織姫を見かけた人々は、そのあまりにも幸せそうな表情に興味を惹《ひ》かれ、彼女が手にしていた紙袋の店名を確認し、その後必ず『ＡＢＣｏｏｋｉｅｓ』を訪れていた。織姫は、その絶大な宣伝効果に気づいた店長から、『キミはうちのケーキをおいしそうに食べる天才だ！』とアルバイトとしてスカウトされることになるのだが、それはもう少し先の話である。

「このお店ね、もうすぐパンの販売も始めるんだって！　あのお店のパンなら、きっとおいしいと思うんだぁー。そしたらまた買って持ってくるからね！」

織姫はそう言ってケーキボックスを片づけ、ろうそくと線香《せんこう》を灯《とも》した。線香から細く白い煙が立ち上り、柔らかな白檀《びやくだん》の香りが漂う。

「無事に高校二年生になれました」

両手を合わせ、目を閉じた。

「これも全部、みんなのおかげだよね……あんなにいろいろあったのがウソみたいに、平和だったなぁ……それでもね、けっこういろんなことがあったんだよ？」

織姫は、この五か月間をゆっくりと思い返す。

「黒崎《くろさき》くんの代わりに、石田《いしだ》くんが虚《ホロウ》退治に行くようになったの。黒崎くんがまだ眠ってた時に、浦原《うらはら》さんからお願いされたんだって」

崩玉《ほうぎょく》と融合《ゆうごう》した藍染惣右介《あいぜんそうすけ》を倒すため、最後の月牙天衝《げつがてんしょう》〝無月《むげつ》〟を放《はな》った黒崎一護《いちご》は、それと引き替えに死神の力と霊力のすべてを失い、これまでおこなってきた死神代行業務も継続不能となった。

空座町周辺の駐在《ちゅうざい》任務は、十三番隊所属の死神・朽木《くちき》ルキアが担当を外《はず》されたのち、新《あら》たに派遣《はけん》された同隊所属の車谷善之助《くるまだにぜんのすけ》がおこなっているのだが、重霊地《じゅうれいち》――霊なるものが集まりやすく、霊的に異質な土地――である空座町には虚《ホロウ》が出現しやすく、高い能力を有しているものが多いため、彼一人の力では対処しきれない場合がほとんどだった。

そのため、空座町の霊的治安《ちあん》を維持するべく、同町内に店を構《かま》える浦原喜助《きすけ》が、石田雨《う》竜《りゅう》に一護の後任を打診したのである。

「夜間出歩くこともあるでしょうから、女性である井上サンに任《まか》せるのは心配ですし、茶《さ》渡《ど》サンの能力は威力《いりょく》が強すぎて市街地での戦闘には向きません。ですから、アナタに黒崎サンの後任をお任せしたいんスよ……引き受けちゃあもらえませんかね？」

そう持ちかけられた雨竜は、即答した。

「後任なんてお断《ことわ》りします」

くるりと背を向け、歩きだす。

「そんなことおっしゃらずに……」

引きとめようと、浦原が手を伸ばす。その手が肩に触れる前に、雨竜はピタリと足を止め、振り向かずに言った。

「ただ……黒崎の代理ということなら、引き受けますよ」

いつまでも一護が無力なままでいるはずがない。一護は、いずれ必ず、戦う力を取り戻す——雨竜はそう確信していた。

浦原は伸ばした手を引っこめ、「石田サンらしいっスねぇ」と軽く肩をすくめ、笑った。

「ではお願いします。しばらくの間、黒崎サンの代理として」

あくまでも、一護が再び力を取り戻すまでの代理として。多くを語らずとも、彼の思いは浦原に伝わった。

こうして、雨竜の死神代行代理としての活動が始まったのだった。

「あっ、石田くんと言えばね！　今、石田くん、生徒会長なんだよ！」

織姫はカバンの中から、今日学校で受け取った、本年度の教職員の担当教科や選択授業の案内等が記載《きさい》されたプリントを取り出した。その生徒会役員の欄《らん》に、【第二十五代生徒会会長　石田雨竜】ときっちり印字されている。

「一年生の三学期に就任したの。一年生が会長になるのは初めてのことなんだって！　すごいよね！」


昨年の十二月。

二学期の終業式で、当時生徒会長だった三年生の浅野《あさの》みづ穂《ほ》が、冬期休業中の注意事項と各委員会からの連絡事項を読みあげていた時のこと。

浦原から支給された雨竜の伝令神機《でんれいしんき》に、虚《ホロウ》退治の出動要請が入った。タイミングの悪さに深々とため息を吐《つ》きつつ、雨竜は体調不良を理由に体育館から駆け出す。

壇上《だんじょう》からそれを見ていたみづ穂は、その外見に衝撃《しょうげき》を受けた。

（アイツの半端《はんぱ》じゃない生徒会長っぽさ、なんなの……!?　神が生徒会長になる者としてこの世に遣《つか》わせた存在だとしか思えない……！）

その瞬間、みづ穂は、今学期限りで副会長に譲《ゆず》ることになっていた会長の座を、一年生の雨竜に譲ろうと勝手に心に決めたのだった。

生徒会長の権限をフル活用し、雨竜について調べあげたみづ穂は、休み中に突然彼の自宅を訪れた。

「次の生徒会長、アンタに決めたから！　空座一高を頼んだわよ！」

雨竜が一言《ひとこと》も発しないうちに、みづ穂は【空座一高生徒会　会長】と筆文字で刺繍《ししゅう》された腕章《わんしょう》を押しつけ、颯爽《さっそう》とその場を立ち去った。

まったく状況が飲みこめず、しばらくの間ポカンとしていた雨竜だったが、押しつけられた腕章に刺繍された文字を見て、ようやく自分が何かとんでもない面倒事《めんどうごと》に巻きこまれたらしいと理解した。

「ちょっと待ってくれ！　引き受けるつもりはない！　だいたい、なぜ僕なんだ⁉　生徒会になんの関《かか》わりもないだろう⁉」

すぐにみづ穂を追いかけ、当然の疑問を口にすると、みづ穂は驚きと呆《あき》れが混《ま》ざり合《あ》った顔をして、言った。

「アンタそれマジで言ってんの……⁉　そんな生徒会長丸出しのナリしといて、よくもぬけぬけとそんなことが言えたわね⁉　このナチュラル・ボーン・生徒会長がっ！」

「なっ……⁉　ただ単に見た目がそれっぽいから選んだっていうのか⁉」

「それの何が悪いっての⁉　生徒会長なんてモンはね、所詮《しょせん》お飾りなのよ、お・か・ざ・り！　実際の業務はだいたい部下がやってくれるんだから、外見が最も重要と言っても過《か》言《ごん》じゃないの！」

「過言だろう⁉　とにかく、お断りだ！」

キッパリと言《い》い放《はな》つ雨竜を見て、みづ穂はゴリ押し作戦をあきらめ、別の手で攻めることにした。

「石田くんってさぁー、結構な頻度《ひんど》で授業抜け出してるらしいじゃない？」

雨竜の表情が、途端《とたん》に硬《かた》くなる。

「……保健室へ行っているだけだ。体が弱くてね」

「ふぅん？　保健医に入退室の記録を見せてもらったけど、石田くんの名前なんてなかったわよぉ？　ホントはどぉ〜こに行ってるのかなぁ〜？」

答えず黙りこんだ雨竜に、「アタシは別に、行き先を追及しようってんじゃないの」と、みづ穂が続ける。

「生徒会長になれば、多少無茶なコトしても教員連中に黙認してもらえる。そのほうが石田くんも動きやすくなるんじゃない？　何かと……ね！」

ニッと笑いかけるみづ穂から目をそらした雨竜は、硬い表情のまま言った。

「僕は、自分がすべきことをしているだけだ。たとえそれで教師に目をつけられることになっても、一向にかまわない」

みづ穂は、揺るぎそうにない雨竜の態度を見て、「これでもダメか……」と独《ひと》りごち、切り札を切ることにした。

「だったら、これは知ってる？　生徒会役員には、購買部での買い物が全品三割引になるっていう、支配者のみに許された特権があるんだけど……」

「なん……だって……⁉」

明らかに、今までとは反応が違った。

みづ穂はニヤリと笑い、ここぞとばかりに畳《たた》みかける。

「会長ともなると、その割引率は更《さら》に上がるわ……」

次の言葉を待ち、雨竜がごくりと唾《つば》を飲みこんだ。

「まさかの、半・額‼　生徒会長になれば！　購買部の商品が！　全品半額なのよっ‼」

みづ穂が腕章を指差し、ズビシーッと宣言する。

雨竜は、目を見開いて絶句した。

数秒ののち、ぞんざいに扱《あつか》っていた腕章のしわを丁寧に伸ばし、ピシッと折り畳んでから、真《ま》っ直《す》ぐにみづ穂を見た。

「今までお疲れさまでした、会長」

言って、深々と頭を下げる。

「あとのことは僕に任せて、とっとと引退してください」

顔を上げた雨竜は、スチャッと眼鏡《めがね》を押し上げ、軽《かろ》やかな足取りで来た道を戻っていった。

「〝でっかい病院の一人息子のクセに貧乏〟って情報は、ホントだったみたいね……」

みづ穂は去っていく雨竜の背中を見送りながら、しみじみとそうつぶやいた。

「虚退治《ホロウ》といい生徒会長といい、石田くんって、頼まれたら断れない人なんだねぇ……優しいよね！」

実際はかなり泥臭《どろくさ》い理由で第二十五代生徒会会長に就任したのだが、雨竜自身がそのあたりの経緯《いきさつ》を語らないため、織姫には知る由《よし》もなかった。

「茶渡くんはねー、ボクシングジムに通い始めたんだよ！　今でもとっても強いのに、もっともっと、ってがんばってて、すごいよね！」

茶渡からボクシングを始めたと聞いた時、織姫は、茶渡ほど強い人が今になって一般的な格闘技のジムに通うということを、なんとなく不思議に思った。

頭上に大きな「？」が浮かんでいるような織姫の表情を見て、茶渡はふっと目を細めた。

「俺には、基礎がないんだ。体の頑丈《がんじょう》さに任せて、今まで我流《がりゅう》で戦ってきたからな……だから一度、基本的な体の動かし方から学びたいと思ったんだ」

一護は空手の道場に通っていた。雨竜は幼いころから滅却師《クインシー》として戦闘の訓練を積んでいる。死神たちは剣術・体術・歩法《ほほう》・鬼道《きどう》すべての基礎を真央霊術院《しんおうれいじゅついん》で学んだのち、死神となる。

多くの戦いを経《へ》て、茶渡は己《おのれ》の力を冷静に分析し、自分にはそういう根幹をなすものが欠《か》けている、と感じたのだった。

The Death Save
The Strawberry

「あたしもね、またたつきちゃんに空手習ってるんだぁ。盾舜六花《しゅんしゅんりっか》の力だけじゃなくて、あたし自身も強くならなきゃ、って思って」

織姫は、有沢竜貴《ありさわたつき》と親しくなった中学生のころから高校に上がるまでの間、有沢家が開いている空手道場・風臨《ふうりん》会館に通っていた。段位こそ取得していないが、それはあくまでも護身用にとたつきが手ほどきをしていたためで、実際には初段相当の実力がある。ほんわかした外見からは想像しがたいが、かなりの腕前なのである。

「たつきちゃんはね……あの戦いのあと、すごく練習量が増えたの。道場の誰と組み手しても、もう負けないんだよ！　……それでも、『まだまだこんなんじゃ足《た》りない！』って、遅い時間までずっと練習してるの……」

ある夜のこと。

織姫は、自分に稽古《けいこ》をつけたあと、「あたしはもう少し残るから」と筋力トレーニングを始めたたつきを見て、たまらず声をかけた。

「たつきちゃん、無理……してない？」

二学期の期末考査が近かったこともあり、睡眠時間を削《けず》って試験勉強とトレーニングをおこなっていたたつきの目の下には、遠目に見てもわかるほど、くっきりとくまができている。

無理をしていることは、誰の目にも明らかだった。

「そーんな心配そうな顔しないの！」

たつきはトレーニングを中断し、ぺち、と織姫の額《ひたい》を叩《たた》いた。

「でも……！」

泣きだしそうな顔で自分を見つめている織姫に、ニッと笑いかける。

「あたしさ、目標はデカイほうが燃えるんだ！」

たつきは軽くストレッチをしながら、真面目《まじめ》なトーンで話し始めた。

「……あたしね、片腕骨折してたのにインハイで二位になってさ、両手だったら絶対優勝だったな、って思って。男子のほうの試合も見たけど、高校の空手の頂点ってこんな感じなんだー、って。全部手の届く範囲だな、って思ったんだよね……」

右腕に触れ、骨折の痛みに耐《た》えつつ戦ったインターハイを思い出す。

あの時の自分は、怪我《けが》さえなければ誰にも負けないのに、と思っていた。

「この間の戦いの時……あたし、藍染ってヤツにもキツネ目の人にも金髪の美人さんにも一護にも、誰にも敵《かな》わない、って思った……強くなりたい、って思った。あんな怖《こわ》いこともう二度とイヤだけど……そう思わせてくれたことは、すごく感謝してる」

さっぱりとした表情で、言う。

たつきは、ずっともやもやした気持ちを抱《かか》えていた。一護や織姫の周囲で何かが起きていることは確かなのに、それを救うことはもちろん、知ることすらできなかった。様々《さまざま》な情報を得た今、皆を救えるほどの力はまだないけれど、視界は開けている。迷いなく、トレーニングに打ちこむことができる。

「でも……そうだね、ちょっとムリしてたかも」

目指《めざ》す場所のあまりの遠さに気ばかりが焦《あせ》ってしまい、強くなりたい、という思いが暴走していたのだと気づく。

(いつも織姫に、「ちゃんと体、休めなよ!」ってウルサイくらい言ってるのに……バカだな、あたし)

たつきは、ふぅ、と深く息を吐《は》き、肩の力を抜いて織姫を見た。

「これからはちゃんと休むようにする! ……じゃあ、今日はもうオシマイにしようかな。送ってくから、途中で肉まんでも食べよっか、織姫!」

笑顔で言うたつきに、「うんっ！」と大きくうなずいて、織姫も笑った。

「今年のインターハイ、絶対たつきちゃんが優勝するよね！　あたし、おべんと作って応援に行こうかなぁ……」

織姫が予想した通り、たつきはこの年のインターハイで、全試合開始三十秒以内に勝利をおさめて優勝、という快挙を成《な》し遂《と》げることになる。

昼の休憩中に織姫が差し入れた創作料理〝あんこととんかつの中華風パイ包み〟がその原動力となった……かどうかは定《さだ》かではない。

「あたしは……って、あたしのことはいっか！　いつも聞いてもらってるもんね！」

織姫は再び目を閉じ、「いつもありがとうね、お兄ちゃん」と墓石に向かって手を合わせた。


一護が目覚めるまでの一か月間、織姫は足繁《あししげ》く尸魂界《ソウル・ソサエティ》に通っていた。四番隊隊長・卯《う》ノ《の》花烈《はなれつ》に頼みこみ、先の戦いで負傷した隊士たちの治療を手伝っていたのである。

その働きぶりには目を見張るものがあり、四番隊隊士の間に、『このまま井上織姫が治療を続ければ、創設以来初の〝入院者ゼロ〟が実現するのではないか』という噂《うわさ》が広まるほどだった。

浦原より尸魂界《ソウル・ソサエティ》へ、【黒崎一護に目覚めの兆候《ちょうこう》あり】との報《しら》せが届いた時も、織姫は綜合救護詰所《そうごうきゅうごつめしょ》で治療をおこなっていた。卯ノ花は、直《ただ》ちに四番隊の穿界門《せんかいもん》を開けさせ、鬼道衆《どうしゅう》に断界《だんがい》の界壁《かいへき》固定作業を指示したのち、織姫のもとを訪れ吉報《きっぽう》を伝えた。

「四番隊《うち》の穿界門をお使いなさい。すぐに現世《げんせ》へ向かえるよう指示しておきました」

「ありがとうございます！」

織姫はしっかりと頭を下げると、くるりと背を向け、駆け出した。

「織姫さん」

数メートル走ったところで卯ノ花に名を呼ばれた織姫は、つんのめるようにして立ち止まり、「はい？」と振り向く。

「しばらくは現世でゆっくり休養なさい。こちらの手伝いは、もう結構です」

「え……？　でも……」

「貴女《あなた》の能力は大変に強力なもの。それ程《ほど》の力であれば、当然、術者への負担も大きいはず……体を休めることも修練のうちです。救護が滞《とどこお》れば、組織は立ちゆかなくなるのですから。それを忘れてはなりませんよ」

卯ノ花はゆっくりと織姫に歩み寄り、その肩に優しく手を置いた。着衣越しに伝わってくる、薄い肉と骨の感触。

（細い肩……こんなに痩《や》せてしまって……）

先の戦いの直後、織姫は四番隊隊舎《たいしゃ》を訪れ、『黒崎くんが目を覚ますのを、なんにもしないで待ってるのは落ち着かないから……』と、治療の手伝いを申し出た。

しかし、卯ノ花は気づいていた。彼女が、自分が虚圏《ウエコムンド》に囚《とら》われなければもっと負傷者は少なかったかもしれない、という自責《じせき》の念から、ほとんど休まず隊士を治療し続けていたことに。

「本当に……よく働いてくれましたね」

その肩をいたわるように撫《な》でさすると、織姫は、「ありがとうございます……！」と、目に涙をいっぱいにためてほほ笑んだ。

「こちらの知人と連絡を取りたいこともあるでしょうから、これをお持ちなさい」

卯ノ花はそう言って、織姫に真珠色《しんじゆいろ》の伝令神機を手渡した。角が丸い直方体の本体には、その右隅《みぎすみ》に、四番隊の隊花である竜胆《りんどう》の花が刻印されている。

「現世の〝携帯電話〟というものを模《も》して作られたそうですから、貴女に使い方の説明は不要でしょう」

「隊長とわたしの連絡先は登録しておきましたから！」

卯ノ花の後ろに控《ひか》えていた四番隊副隊長・虎徹勇音《こてついさね》が、自分の伝令神機を掲げて見せた。

「……きっとまた遊びに来てね、織姫ちゃん！」

勇音は名残惜《なごりお》しそうに織姫を見つめ、胸の前で小さく手を振る。

織姫は、勇音が指揮している救護班について治療に当たっていた。多くの時間を共に過ごすうちに親しくなった者との別れには、格別の淋《さび》しさがあった。

「ほんとに、いろいろ全部、ありがとうございました！　卯ノ花さん、勇音さん！」

織姫は深く深く頭を下げ、真新しい伝令神機を、両手でぎゅっと抱きしめた。


織姫は、ポケットから取り出した真珠色の伝令神機を見つめる。この花の刻印を見るたび、あの時の卯ノ花と勇音を思い出し、胸が温かくなるのだった。

「こっちにいるのに尸魂界《ソウル・ソサエティ》と電話もメールもできるって、不思議だよねぇ。どういう仕組みなのかな……？」

そうつぶやきつつ、ボタンを操作する。【電子書簡箱】を開くと、これまでにやりとりした電子書簡——現世でいうメール——がずらりと表示された。

【これで今後は連絡が取りやすくなるな！】

一通目の電子書簡は、ルキアから届いたものだ。

黒崎家に集まり、皆で一護の目覚めを待つ間、織姫はルキアと連絡先を交換したのだった。その際ルキアから送られてきたのが、先の電子書簡である。

ルキアが尸魂界《ソウル・ソサエティ》へ戻ると、すぐに続々と電子書簡が届き始めた。

【よォ、井上！　伝令神機もらったんだってな！　なんか困ったことがあったら遠慮なく連絡してこいよ！　じゃあな！】

六番隊副隊長・阿《あ》散井《ばらい》恋次《れんじ》。

【朽木から聞いたわよ！　伝令神機持ったんですって？　今度現世へ行った時は連絡するから、お茶しましょ！　織姫がこっちに遊びに来たい時は、あたしに言いなさいね！　すぐに十番隊の穿界門、開けさせるから。待ってるわよ～！】

十番隊副隊長・松本乱菊《まつもとらんぎく》。

【松本が現世でサボっているのを見かけたら、ここに連絡してくれ。】

十番隊隊長・日番谷《ひつがや》冬獅郎《とうしろう》。

他にも、十三番隊隊長・浮竹十四郎《うきたけじゅうしろう》、八番隊隊長・京楽春水《きょうらくしゅんすい》、十一番隊第三席・斑目一角《まだらめいっかく》、同隊第五席・綾瀬川弓親《あやせがわゆみちか》といった顔なじみの死神たちから連絡があった。内容は、一護の様子を尋《たず》ねるものから日常の些事《さじ》を報告するものまで様々だったが、今に至るまで皆から不定期的に便りが届いていた。

「……あの戦いのあと、瀞霊廷《せいれいてい》はすごく大変だったみたい」

ルキアからの電子書簡には、新体制に向けて動き始めた護廷《ごてい》十三隊の混迷が記《しる》されていた。

尸魂界《ソウル・ソサエティ》で傷を完治させた仮面の軍勢《ヴァイザード》の中から空位になっている三隊の隊長を選出しようという流れに、虚《ホロウ》の力を持つ者を隊長に据《す》えるべきではないとする一派が待ったをかけ、そこに当人たちの主張も加わり、話し合いはもつれにもつれたという。

「朽木さんのメールには、やっと話がまとまってこの春から新体制になりそう、って書いてあったけど、結局どうなったのかなぁ……」

尸魂界《ソウル・ソサエティ》の皆を思いながら、空を見あげる。いつの間にか日が傾き、美しい夕焼けが広がっていた。

その鮮《あざ》やかなオレンジ色に、織姫は、一護のことを思った。

「黒崎くんは……いつも淋しそうに見える」

力を失ってから数日間の一護は、自身の変化に戸惑《とまど》っていることが誰の目にも明らかだった。

一護は通学中何度も立ち止まり、辺《あた》りを見回した。よく霊を見かけた場所では、目を凝《こ》らし、意識を集中した。しかし、何も見えず、何も感じなかった。

それは、初めて見る〝異常な世界〟だった。物心ついた時から霊が見えていた一護にとって、霊のいる世界こそが日常であり、〝正常な世界〟だったのだ。

「黒崎くんと出会って、あたしにも霊が見えるようになって……それで、思ったの。今見えてるこの世界が、急に見えなくなったら、って」

亡くなってから魂葬《こんそう》されるまでの間、〝整《プラス》〟と呼ばれる霊たちは、公園のベンチ、校庭の片隅《かたすみ》、歩道橋の上、土手の草むら――あらゆる場所に存在し、思い思いに死後の時間を過ごしている。

通学途中にある文具店の前にいつも座っている老女の霊は、『行ってらっしゃい！』と毎朝織姫に声をかけてくれる。時々行く図書館の児童書コーナーで会う少女の霊は、お薦《すす》めの絵本を教えてくれる。自宅近くにあるバス停で見かける中年男性の霊は、織姫がバスを待つ間、自分がいかに妻と子供たちを愛していたかをしみじみと語って聞かせてくれる。

霊が見えるようになってから、織姫の毎日はより一層楽しいものになった。

「『この生活は、望んでた平和な生活だ』って、黒崎くんは言うの……自分に言い聞かせるみたいに、そう言うの……」

この話になると、一護は決まって笑顔を見せたが、そこには隠しきれない淋しさがにじんでいた。

その笑顔に、織姫はいつも、息が止まりそうなほど胸を締《し》めつけられる。

「ほんと言うとね……あたし、黒崎くんが力を失ったって聞いた時、ちょっとだけホッとしたんだぁ……これでもう黒崎くんは傷つかずにすむんじゃないか、って。いつもぼろぼろになるまで戦って、傷ついて……そんな黒崎くんを見てるの、苦しかったから……」

傷だらけで戦う一護の姿がいくつも脳裏《のうり》に浮かび、織姫はきゅっと唇《くちびる》を噛《か》んだ。

「だけどね、思い出したの。戦えない、っていうことが……力が無い、っていうことが、どんなにつらいことなのか」

藍染との決戦前。織姫は、浦原から戦線を外れるよう宣告された。

足手まといと言われて悲しかった。己の無力さがやるせなかった。何より、皆と共に戦えないことが、淋しかった。

「ねぇ、お兄ちゃん……あたし、どうしたらいいのかな……？　黒崎くんの力になりたいよ……！」

織姫は深くうつむいたまま、吐き出すように言った。祈るように、胸の前で両手を組む。と、その手の中で、ピロリロン、と電子音が鳴った。

「わひゃあっ⁉　び、びっくりしたぁ……！」

驚いて取り落としそうになった伝令神機をしっかりと握《にぎ》り直《なお》し、画面を見る。【新着電子書簡有り】という文字が表示されていた。

「あっ、朽木さんからだ！」

ぱっと顔をほころばせ、ルキアから送られてきた電子書簡を開く。

【元気にしているか？　前回から随分《ずいぶん》間が空《あ》いてしまったが、皆変わりはないだろうか。会って報告したいことがあるのだが、時間を取れないか？　連絡を待つ。】

織姫は、すぐにポチポチと返事を打ち始めた。

「明日は、学校が、お昼までだから、そのあとなら、いつでも、平気だよ……と」

そこまで打ちこむと、一旦《いったん》手を止め、顔を上げた。兄の墓石が、夕陽《ゆうひ》を受けて柔らかく光っている。

そっと背中を押されたような気持ちになり、織姫は再び指を動かし始めた。

【あたしも朽木さんに相談したいことがあるんだけど、いいかな？】

そうつけ加えて送信すると、すぐにルキアから返信があった。

【勿論《もちろん》だ！　私で良ければどんなことでも相談してくれ！　では明日、穿界門の準備が整《ととの》い次第《しだい》連絡するからな。】

織姫はにっこりと笑って伝令神機をポケットに戻し、先ほどまでの苦悩が嘘《うそ》のように、鼻歌交《ま》じりで帰り支度《じたく》を始めた。

「朽木さんの報告ってなんだろうねぇ、お兄ちゃん？　楽しみだなぁー！」

夕陽の大部分が地平に沈んでしまうと、春とはいえ、少し肌寒《はだざむ》い。

しかし、伝令神機が入っているポケットは、ほわっと温かいように感じられた。

＊＊＊

初めて緋真様《ひさな》の写真を見た時の衝撃《しょうげき》を、今でも鮮明《せんめい》に覚えている。

真央霊術院《しんおうれいじゅついん》に入って間もなく、私は朽木《くちき》家に養子として迎えられた。

何故《なぜ》私を朽木家に、との問《とい》に、白哉《びゃくや》兄様付きの従者である清家《せいけ》信恒《のぶつね》は、私が兄様の亡妻《ぼうさい》である緋真様に良く似ているからだ、と答えた。屋敷の誰に問うても、皆判を押したように同じ返答だった。

腑《ふ》に落ちなかった。

ただそれだけの理由で、流魂街《ルコンがい》の出身者を、四大貴族の一つである朽木家が養子に迎え入れるだろうか……と。

養子縁組の手続きが終わり、私が正式に〝朽木ルキア〟となった日。兄様に呼ばれ、私は初めて仏間に入った。仏壇の正面に座るようながされ、緊張で震える足をなんとか折《お》り畳《たた》んだ。正座してうつむき、兄様の言葉を待つ。

正面から、仏壇の扉が開かれる微《かす》かな音が聞こえた。

「我《わ》が亡《な》き妻、緋真だ」

声に顔を上げると、正面に、緋真様の遺影。

息を、飲んだ。

確かに、形は私と良く似ている。しかし彼女は、私とは何もかもが違っていた。穏《おだ》やかに笑《え》んだ瞳《ひとみ》はどこまでも澄んでいて、肌《はだ》の白さは目に痛い程《ほど》。桜色の小さな唇《くちびる》は、優《やさ》しい声音《こわね》を思わせる。

映りこんだものが自動的に補正される鏡を見ている気分とでも言うのか……写真の中から此方《こちら》にほほ笑《え》みかける緋真様は、一片《ひとひら》の雪のように儚《はかな》げで、圧倒的に美しかった。

愛しておられたのだ、と、強く思った。

兄様は、形が似ているだけの私ですら放ってはおけぬ程に、深く緋真様を愛しておられたのだ、と。

ならば、私はこの形を保《たも》ち続けよう。緋真様の御姿に僅《わず》かでも近づけるよう努力することで、私のような者を朽木家へ迎えてくださった大恩《たいおん》に報《むく》いていこう。

緋真様の遺影に、そう誓《ちか》った。

それから数十年の時が流れ、私は、自分が緋真様の実の妹であることを知った。兄様が、緋真様との約束を果たすべく、私を養子に迎え入れてくださったのだということを知った。

この姿形を欲されていたわけではないのだということを、知った。

「ルキア様、お式の前に御髪《おぐし》を整《ととの》えられてはいかがですか？」

十三番隊副隊長の任官式を明日に控《ひか》えた私に、いつも身の周《まわ》りの世話を焼いてくれている侍女《じじょ》のちよが言った。

髪に触れてみる。言われてみれば、少し伸びているようだ。

「そうだな……では、お願いできるか？」

「勿論《もちろん》ですとも！」

ちよは胸の前で、パンッ、と両手を合わせ、うれしそうににこりと笑った。

彼女は、古株《ふるかぶ》が多い朽木家の使用人の中で、最も若い。私が気兼《きが》ねせず雑事を頼めるようにと、兄様が最年少の彼女を部屋付きの侍女に選んでくださったのだ、と、彼女自身が

教えてくれた。

「それでは、お帰りの時間に合わせて理髪師を手配しておきますね！」

「ああ、頼む」

「お任《まか》せください！」

ちよは優美な所作《しょさ》で深々と礼をし、部屋を出ていく。若くとも仕事は迅速《じんそく》で、礼儀作法も完璧《かんぺき》だった。流石《さすが》は朽木家の使用人だな……と、毎度のことながら感心してしまう。


その日は、「明日の準備もあるだろうから」との浮竹《うきたけ》隊長の計《はか》らいで、いつもより早く、まだ明るいうちに帰宅することができた。

にも拘《かかわ》らず、ちよは私の早まった帰宅時刻に合わせて、きっちりと理髪師を呼び寄せていた。その点を驚きと共に賞賛すると、「お褒《ほ》めに預《あず》かり光栄です！　朽木家の情報網ってすごいんですから！」と笑顔で胸を張った。

「さて、ルキア様。本日はどのように致《いた》しましょう？　いつも通り、全体的に揃《そろ》えられますか？」

私の首に、サラリとした布地でできたケープを巻きつけながら、老齢の理髪師が尋《たず》ねる。

正面に据《す》えられた大きな姿見には、少し髪の伸びた自分が映っていた。

僅かに目を細め、ほほ笑んでみる。

緋真様の……姉様の面影《おもかげ》が、そこにあった。

「短く、切ってください」

もう、形に拘《こだわ》る必要はないのだ。

私と姉様の間にも、私と兄様の間にも、確かな絆《きずな》がある。

あるのだと、信じられる。

「……承《うけたまわ》りました」

理髪師は深く一礼し、私の髪に、鋏《はさみ》を入れた。

2

尸魂界《ソウル・ソサエティ》。

十三番隊隊舎《たいしゃ》前・穿界門《せんかいもん》。

「井上《いのうえ》ー！」

穿界門を抜け、尸魂界《ソウル・ソサエティ》へ降り立った織姫《おりひめ》は、手を振りながらこちらへ走ってくる朽《くち》木《き》ルキアを見て、満面の笑《え》みを浮かべた。

「朽木さーん、久しぶりー！」

織姫も大きく手を振り返し、駆け寄る。

「急に呼び出してすまなかったな！」

「ううん、あたしも会いたかったから！　髪切ったんだねえ！　すっごく似合ってる！」

ルキアはさっぱりと短くなった髪に手をやり、「そうか？」とはにかんだ。その左腕を見て、織姫は目を丸くする。

「朽木さん、それって……！」

ルキアの腕には、【十三】の文字と待雪草《まつゆきそう》が刻印された、十三番隊の副官章が巻かれていた。

ルキアは、ああ、とうなずき、「このことを報告したかったのだ」と晴れやかに笑う。

「一月《ひとつき》ほど前、副隊長に任命されてな。つい三日前に任官式を終えて、正式に就任《しゅうにん》したばかりだ」

「おめでとうっ!!」

織姫は心底うれしそうに言い、ルキアの両手を握《にぎ》った。じっとルキアを見つめるその瞳《ひとみ》に、うるうると涙がにじんでくる。

「ほんとに……おめでとう……!」

「ど、どうしたのだ!? 何処《どこ》か痛むのか!?」

心配そうに顔をのぞきこんでくるルキアに、織姫は、「ううん、違うの」と首を振った。

袖口《そでぐち》で涙を拭《ふ》き、柔らかくほほ笑む。

「えへへ……なんだかジーンと来ちゃって……」

織姫は、かつて十三番隊で副隊長を務《つと》めていた、今は亡《な》き志波《しば》海燕《カイエン》という死神の話を、ルキアから聞いたことがあった。ルキアが彼の死に責任を感じていることも、それ以降十三番隊副隊長の座は空席になっていることも、知っていた。

ルキアが就任を決断するまでには、相当な葛藤《かっとう》があったはず……それを思うと、胸が熱くなるのだった。

「……ありがとう」

ルキアは織姫の手を握り返し、ふっと目を細めた。

確かに、葛藤はあった。

しかし、今はただ、自分を思い涙してくれる友がいるということが、うれしかった。

「そうだ。井上、昼餉《ひるげ》は済《す》んだのか？」

「ううん、まだだよー」

「それなら良かった！　家の者に弁当を拵《こしら》えてもらったのだ。いっしょに食べようではないか」

「ほんと⁉　やったぁ！　でも……いいの？　朽木さんのお弁当なんでしょ？」

「……むしろ、いっしょに食べてもらわねば困るのだ」

ルキアは、どういうこと？　と言いたげに首をかしげた織姫の手を引き、「とりあえず、此方《こちら》へ来てくれ！」と歩きだした。

十三番隊隊舎の裏には、隊長もしくは副隊長の許可を得て使用できる広い修行場《しゅぎょうじょう》がある。その東側に全体を一望できる小高い丘があり、そこには大きな桜の木が一本、修行場を見守るようにして立っている。

「さぁ、着いたぞ」

ルキアは織姫を伴《ともな》い、その桜の下へやってきた。桜を仰《あお》ぎ見《み》た織姫が、「わあ……！」と感嘆《かんたん》の声を漏《も》らす。

季節は、春。

空は青く澄み渡り、桜は満開だった。

「十三番隊には桜がたくさん植えられているのだが、私はここの桜が一番好きなのだ」

太い幹に手を当て、ルキアが言う。ぽつりと孤高に咲く姿は、とても美しい。

十三番隊の敷地内は、他隊に比《くら》べて緑が多い。体が弱く臥《ふ》せりがちな浮竹十四郎《うきたけじゅうしろう》の癒《いや》しになればと、隊士たちが空《あ》いた時間に少しずつ木や花を植えていった結果、花の盛りには他隊の隊士がわざわざ見物に訪れるほどの名所となったのだった。

「この辺《あた》りに座っていてくれ」

ルキアにうながされ、織姫は桜から少し離れた場所に腰を下ろす。ルキアは小走りで桜の根元に向かい、そこに置いてあった風呂敷包みを提《さ》げて戻ってきた。

織姫の前に置き、結び目を解《と》く。中には、金の蒔絵《まきえ》が施《ほどこ》された五段の重箱が入っていた。

「炊事場《すいじば》へ行って、何か簡単なものを二人分作ってほしい、と頼んだら、これを持たされてしまってな……」

言いつつふたを開け、一段ずつ風呂敷に並べていく。すべての段にぎっしりと彩《いろど》りよく料理が詰《つ》められた豪華絢爛《けんらん》なその弁当は、どう見ても〝簡単なもの〟ではないし、どう見積もっても〝二人分〟ではなかった。

このような事態になったのは、『ルキア様が初めて我々に弁当をご所望《しょもう》くださった！』と朽木家の料理番全員が歓喜し、異様に張り切って作ってしまったせいなのだが、ルキアには知る由《よし》もない。

「すーごーいっ‼　こんな豪華なおべんと初めて見たよ！」

織姫の目は、かつてないほどキラキラと輝いている。ルキアはその子供のような反応を見てくすりと笑い、「早速頂《さっそくいただ》こう！」と織姫に箸《はし》と取り皿を手渡した。

「いっただっきまーす！」

「頂きます」

各々《おのおの》、思い思いの料理を口に運ぶ。

「んん〜〜っ！　おいしいっ！」

「そうだろう！　朽木家で出されるものは、どれも抜群に美味《うま》いのだ！」

幸せそうに料理を頬張《ほおば》る織姫を見て、ルキアが誇《ほこ》らしげに言う。

春風に揺れる桜の花を眺《なが》めつつ、二人は丹誠《たんせい》こめて作られた料理の数々を堪能《たんのう》した。


「ごちそうさまでした！　はあー、おなかいっぱい！　ゴメンね、残しちゃって……」

申《もう》し訳《わけ》なさそうに箸を置いた織姫に、ルキアが、「気にするな」と笑いかける。

「元より食べ切れるとは思っていなかったからな。むしろ、ここまで減《へ》らせたことに驚いているくらいだ……！」

二十センチ四方の重箱五段分、本来なら五人前はあろうかという量を、二人は四段分完食していた。〝二人〟といっても、割合でいえば、四段中三段分は織姫の胃袋へ消えたのだが……。

（一体、この細い体のどこにあれ程《ほど》の量の食べ物が収まるのだ……？）

ルキアは、満足気《げ》にお腹をさすっている織姫を見て、心底不思議に思うのだった。

「その手袋みたいなの、すごくきれいだねぇ」

織姫の視線の先では、ルキアが、食事中外《はず》していた手甲《てっこう》を着け直していた。

手の甲からひじの上までを覆《おお》っているその手甲は、光沢《こうたく》のある純白の生地《きじ》でできており、粉雪が日光を受けて輝いているような、繊細《せんさい》な光を放《はな》っていた。

「これは、副隊長の就任《しゅうにん》祝いに兄様が誂《あつら》えてくださった物なのだ……」


任官式の朝。

ルキアは、義兄《あに》である六番隊隊長・朽木白哉《びゃくや》に呼ばれ、彼の私室を訪れた。

白哉は、座したルキアの前に、「就任祝いだ」と、白木《しらき》の箱を置いた。

「開けても宜《よろ》しいですか？」

ルキアの問いかけに、白哉が一つ、うなずく。ルキアは緊張した面持《おもも》ちでそっとふたを開け、薄紙をめくった。

中には、一双《いっそう》の真っ白な手甲が入っていた。

「はぁ……」

手甲を手に取ったルキアから、感嘆《かんたん》のため息が漏《も》れる。

その後端に、銀糸《ぎんし》で小さく朽木家の家紋が刺繍《ししゅう》されているのを見つけたルキアは、これが既製品ではなく、自分のために誂えられた物なのだと気づいた。

「兄様、これは……」

驚いたように自分を見上げてくるルキアを、白哉は静かに見つめ返す。

「……副隊長となったからには、今まで以上に刀を振るう機会が増えよう。お前の斬魄刀《ざんぱくとう》は氷雪《ひょうせつ》系……腕を冷やし、切っ先がぶれるような事があってはならぬ。それを身に着け、職務に励《はげ》むが良い」

「ありがとうございます……！」

白哉の心遣《こころづか》いに、じわあ、と目頭《めがしら》が熱くなる。

ルキアは手甲を抱きしめ、深々と頭を下げた。

「……そもそも、無席だった私が副隊長に就任できたのは、兄様が推《お》してくださったからなのだ。『責ある任に就《つ》けば、お前も軽率《けいそつ》な行動は控《ひか》えるようになるだろう』とな」

席官ですらない死神が副隊長に抜擢《ばってき》されるというのは異例中の異例だったが、就任に異を唱《とな》える者はなかった。決定権を持つ隊長・副隊長の多くが、現世《げんせ》や虚圏《ウエコムンド》でのルキアの戦いぶりを見て、その実力を認めていたためだ。

「ふふ！　白哉さんが本当に言いたかったのって、『心配だから危ないことはしないで！』ってことだよね！」

織姫が笑うのを見て、ルキアは目をぱちくりさせた。

「そう……なるのか？」

「そうだよ！　だってね、阿散井《あばらい》くんも副隊長なんだよ？」

ルキアはハッと息を飲み、「確かに……！」とつぶやく。

阿散井恋次《れんじ》は、白哉が隊長を務《つと》める六番隊の副隊長である。彼は副隊長という〝責ある任に就いて〟いながら、これまでルキアと共に〝軽率な行動〟ばかりしてきた。白哉がそれを知らないはずがない。

「兄様が、私の心配を……」

「兄妹《きょうだい》だもん、当然だよ！　……よかったね、朽木さん！」

言って、織姫は再び涙ぐんだ。

中学一年生のころに親同然だった兄を亡《な》くしている織姫にとって、こうしてルキアと白哉の距離が縮まっていくのは、本当にうれしいことだった。

ルキアは、「ありがとう」とほほ笑み、織姫の背中を、ぽんぽん、と優《やさ》しく叩《たた》く。織姫は、「へへ……なんかゴメンね！　あたし、さっきからメソメソしちゃって！」と、恥ずかしそうに笑った。

「朽木さんの話、聞きたいな！　副隊長さんになって、どう？　何か変わった？」

ルキアは、「変わったことか……」とつぶやき、空を見あげた。つられて、織姫も空を見る。

細く薄い雲が、遠くの空をゆっくりと流れていた。

「そうだな……やはり、以前とは比《くら》べものにならぬ程忙しくなったな。とにかく覚えることが多くて……今は虎徹殿《こてつどの》と小椿殿《こつばき》に補佐をして頂きながら、仕事の手順を学んでいるところだ」

そこで一旦《いったん》言葉を切ったルキアは、ぐっと眉根《まゆね》を寄せた。

「隊長、副隊長だけに知らされる事案も多くてな……」

独《ひと》り言《ごと》のような小ささで、ポツリとつぶやく。

急に声のトーンが下がったことを不思議に思い、織姫は隣に座るルキアを見た。その横顔には、怒《いか》りとも悲しみとも取れるような、複雑な表情が浮かんでいる。

「朽木さん……？」

織姫が心配そうに声をかけた時、

「織姫チャ――ン!!」

ブンブンと手を振りながら、隊長羽織《ばおり》を纏《まと》った男が一人、丘を登ってきた。金髪のおかっぱ頭が、春風に吹かれて揺れている。

それは、先の戦いで共闘した、仮面の軍勢《ヴァイザード》の一員・平子真子《ひらこしんじ》だった。

「平子くん！」

立ちあがり、声の主《ぬし》を確認した織姫が、笑顔で手を振り返す。ルキアも起立し、無言で一礼した。

「織姫チャンの霊圧《れいあつ》感じたから、仕事ほっぽって来てもうたわ！　なんや、女の子だけでお花見かいな？　そういう時はオレも誘ってぇや～！」

平子は二人の正面に腰を下ろし、二人も座るようううながした。

「その格好……隊長さんになったんだね！」

織姫が言うと、平子は、「そやねん！」と体をひねり、背中の【五】の文字を見せて、「五番隊のな」とつけ足《た》した。

「ホンマは嫌《いや》やってんけど……まァ、副隊長がべっぴんやったからな！」

「……平子隊長………」

呆《あき》れとたしなめの入《い》り混《ま》じったルキアの視線にさらされた平子は、「……ジョークやないかい」と口を尖《とが》らせる。織姫は、そんな二人のやり取りを見て笑った。

「平子くんは……あ、そっか！　もう『平子くん』なんて呼んじゃダメだよね！　隊長さんだもんね」

「そのままでええって！　今更《いまさら》さんづけされたら距離取られたみたいで嫌やし。それに織姫チャン、十番隊の隊長も『冬獅郎《とうしろう》クン』て呼んでるやん！　あのガキンチョだけ贔屓《ひいき》するんズルいわ～！　オレのことも『真子クン♥』って呼んでぇや～！」

平子の若干《じゃっかん》面倒くさいノリに、「んー、ええと……」と織姫が困り顔になっていた時、どこからか小洒落《こじゃれ》たメロディーが聞こえてきた。

「ん？　なんの音だ……？」

ルキアがきょろきょろとあたりを見回す。

「平子くんのほうから聞こえない？」

織姫にそう指摘された平子は、ニッと笑って懐《ふところ》から伝令神機《でんれいしんき》を取り出した。

「オレ、着信音ジャズにしてんねん！　洒落てるやろ？」

自慢気《げ》に言ってから、「ほな、ちょっとゴメンな」と二人に断《ことわ》り、通話ボタンを押す。

「もしもぉーし……おー、桃《もも》！」

通話相手は、五番隊副隊長・雛森桃《ひなもり》だった。『ちょっと出てくるわ』と言ったきり戻ってこない平子を心配し、連絡してきたのだ。

「……んー、もうちょいしたら戻るわ。桃、オマエもええ加減休憩せえ。隊首室に就任祝いでもろた茶菓子があるから、それ食べえや……アカン、休め！　コレは隊長命令や！　最低でも一時間は執務《しつむ》室《しつ》に戻るなよ！　ええな！」

通話を終え、顔を上げた平子は、二人が興味深げにこちらを見ていることに気づいた。

「ウチとこの副隊長からやったわ。ようでけた子やけど、アイツほっとったらいつまででも働きよるからなァ……休ませるんもひと苦労や」

「がんばり屋さんなんだねぇ、五番隊の副隊長さんって！」

「雛森桃ていうねん。どっかで会《お》うたら仲良うしたってや！」

平子は、「もちろん！」と笑顔でうなずく織姫を見て、「織姫チャンはホンマにええ子やなァ……」としみじみつぶやく。ルキアはそんな二人のやりとりから平子と雛森の関係性を推察し、人知れず安堵《あんど》の息を吐《は》いた。

平子の五番隊隊長就任が決定して以降、一般隊士の間では、『雛森副隊長は、あまりにもタイプの違う新隊長を受け入れられないのではないか』という憶測《おくそく》が広まっていた。藍《あい》染《ぜん》と雛森の結束《けっそく》の強さは護廷《ごてい》十三隊でも有名だったため、このような憶測が飛《と》び交《か》うのも無理はなかった。

ルキアは、推量でものを言うべきではない、と沈黙していたが、二人のことはずっと気がかりだったのだ。

「雛森副隊長は、もうお元気なのですね。深手を負《お》われて長く療養しておられたと聞いたものですから……」

ホッとした様子のルキアを見て、「心配してくれておおきにな、ルキアチャン」と平子が目を細めた。

「まァ、今は元気やけど……あの戦いから三か月くらいは、傷が治ったあともグジグジしとったみたいやなー」

視線を上げ、桜を見つめる。

平子が初めて雛森の下《もと》を訪れた時も、窓辺《まどべ》に置かれた花瓶《かびん》に、一枝《ひとえだ》の桜が生けられていた。


一か月前。

四番隊・綜合救護詰所《そうごうきゅうごつめしょ》。

「こんにちはー！　雛森桃《ひなもりもも》チャン、居てはりますー？」

ノックをして呼びかけると、病室内から、「あ、はい！　どうぞ」と声が返ってきた。

「邪魔《じゃま》するでー」

室内に入ってきた平子《ひらこ》を見て、雛森はわずかに首をかしげる。必死で記憶をたどってみたが、この人物には見覚えがなかった。

「えっと……」

困惑《こんわく》している雛森に、平子が、ニィと笑いかける。

「ちゃんと会うんはコレが初めてやな！　どーもォー、平子真子《しんじ》ていいますー」

その名を聞き、雛森は、「……あっ！」と小さく声をあげた。

「はい！　知ってます！」

「ホンマ⁉　うれしいわァ～！」

「少し前に、七緒《ななお》さん……あ、七緒さんというのは、八番隊で副隊長をされている方なんですが、その七緒さんが、仮面《ヴァイザード》の軍勢の皆さんについて教えてくださったんです。確か、平子さんは……藍染《あいぜん》隊長の前に五番隊の隊長をされていた方だとお聞きしました」

度重《たびかさ》なる裏切りに遭《あ》いながらも、未《いま》だ藍染のことを〝隊長〟と呼ぶ雛森を見て、平子はぴくりと眉根《まゆね》を寄せた。

藍染は人心掌握《じんしんしょうあく》に長《た》けていた。その丁寧《ていねい》な物腰は、上にも受けがよかったが、特に部下からの人望は厚かった。五番隊隊士の中には、雛森のように、今なおその呪縛《じゅばく》から逃《のが》れられずにいる者も多い。それを思うと、改めて藍染への怒《いか》りがこみあげてくるのだった。

その顔を見られまいと雛森から視線をそらした平子は、窓辺に飾られている一枝の桜に目を留《と》めた。

「冬に桜か……ええもんやな」

窓の外は、一面の曇《くも》り空《ぞら》。

その灰色の背景が、桜の美しさを一層際立《きわだ》たせている。

「それは、阿散井《あばらい》くん……六番隊の阿散井副隊長が持ってきてくれたんです」

雛森も、桜を見て顔をほころばせた。『花なんて俺のガラじゃねぇんだけどよ』と、照れくさそうに見舞いに訪れた恋次《れんじ》の姿を思い出す。

「一番隊隊舎の近くには大きな入浴場があるんです。そのせいなのか、その辺《あた》りは冬でも少し暖かいらしくて……まだ一月なのに、こうやって桜が咲いているんだそうですよ」

穏《おだ》やかな表情で話す雛森からは、生気《せいき》が感じられなかった。大切なものが抜け落ちてしまった空虚さが漂っている。

平子は、壁際《かべぎわ》に寄せてあった椅子《いす》を雛森の正面に置き、座った。その目をまっすぐに見て、言う。

「雛森チャン。オレな……五番隊の隊長、引き受けよう思うてんねん」

雛森は、ほんの一瞬、目を見開いた。

彼女がそれほど驚かなかったのは、七緒から新体制に関する話を聞いていたため、平子が自分を訪ねてきた時点で、いずれはこの話になるだろうと察しがついていたからだった。

「……そう…ですか……」

それだけ言って、うつむく。

平子に対して、何と答えればよいのかわからなかった。ありがとうございます、おめでとうございます、よろしくお願いします……どれも違うと思った。自分の心を表す言葉が、出てこない。

それきり黙りこんでしまった雛森に、平子はゆっくりと語りかける。

「オレの斬魄刀《ざんぱくとう》は〝逆撫《さかなで》〟てゆうねんけど、コイツがホンッマに性格悪うてなぁ……嘘《うそ》ばーっか言いよる。オレはそん中から、砂粒ほどの真実を見出《みいだ》すことで、逆撫を屈服《くつぷく》させたんや」

突然始まった斬魄刀の話に、雛森はきょとんとしていた。平子はそれに構《かま》わず、続ける。

「藍染を初めて見た時、逆撫がザワついてん。ワクワク、ソワソワ……そんな感じやったわ。逆撫はあまし外の世界に興味がないヤツやから、そないなことは初めてやった。自分によう似たヤツを見つけて興奮したんやろなァ……」

腰に差した逆撫の柄《つか》に手を置く。呼びかけるように、ポンポン、と叩《たた》いてみたが、逆撫は応《こた》えず、沈黙している。

「せやから、オレは初めから気づいててん。アイツがどす黒い本性《ほんしよう》を秘めとるゆうことにな……ただ、アイツにはつけ入る隙《すき》がまったくあれへんかった。シッポを出すまでは……

った。

百年以上にわたり続けられてきた藍染の邪悪《じゃあく》な研究により、膨大《ぼうだい》な数の魂魄《こんぱく》が失われた。家族、恋人、親しき友、敬愛する上官――愛する者を亡《な》くした人々は、心に深い傷を負《お》って泳がせてた結果が、コレや」

平子は額《ひたい》に手を当て、ぐしゃ、と己《おのれ》の前髪をつかんだ。

「どんな手を使《つ》こうてでも、オレが藍染を殺しておくべきやった……！」

どんなに非難され、誰にも理解されなくとも、成《な》し遂《と》げるべきだった。

藍染が投獄された今も、悔恨《かいこん》の情は消えない。

「そんなこと……言わないでください……！」

平子が顔を上げると、雛森は涙をいっぱいに溜《た》めた目で、こちらを見つめていた。

「あたし、藍染隊長に出会えたこと……やっぱり、感謝してるんです」

悲しげにほほ笑《え》んだ途端《とたん》、こぼれた涙が、雛森の白い頬《ほお》を流れ落ちた。

「霊術院《れいじゅつぃん》を卒業して、希望していた五番隊に入隊できて、すごくうれしかった……それから副隊長になるまで、ずっと藍染隊長を目標にしてきました。隊長にいただける助言を、胸に刻《きざ》んで生きてきました。それが……突然あんなことになってしまって、あたし……ど

こへ向かって進めばいいのか、わからなくなってしまったんです……」

雛森は、傷が完治し目覚めるたび、すぐに藍染の霊圧《れいあつ》を探した。すべて自分が見た悪夢だったのではないかと、淡《あわ》い期待をこめて。

しかし、請《こ》い求《もと》める上官の霊圧は、尸魂界《ソウル・ソサエティ》のどこにも感じられないのだった。

「あの人は、尸魂界《ソウル・ソサエティ》を……あたしやみんなを裏切ったんだ、って、頭ではわかってるんです。でも、心がついてこなくて……五番隊の副隊長としてしっかりしよう、隊長のことはもう忘れよう、って思うんですけど……忘れなきゃ、って思えば思うほど、どんどんどんどん苦しくなって……！」

副隊長に就任してからは、どこへ行くにも藍染といっしょだった。尸魂界《ソウル・ソサエティ》中に、藍染との思い出があふれている。

病室から出るのが、怖《こわ》かった。

否応《いやおう》なく浮かんでくる、満《み》ち足《た》りていた日々の記憶が恐ろしかった。

「……そうやって悩んでいたら、みんなが教えてくれたんです。忘れなくてもいいんだ、って」

松本乱菊《まつもとらんぎく》は、さらりと言った。

『藍染のことは許せないし、一生許すつもりもないわ……でもね、雛森。アタシ、あの人といっしょにいて楽しかったこともあったから……それは思い出としてとっておくつもりよ。たとえそれが、アタシたちの信頼を得るための演技だったんだとしても……ね』

伊勢《いせ》七緒は、散々《さんざん》思い悩んだ末に、言った。

『わたしは霊術院時代に、特別講師として招かれた藍染から、鬼道《きどう》の練習法を教わりました。とても効率的な方法でしたから、今でもそれを実践《じっせん》しています。その方法は今も鬼道の教本に載《の》っていますし、藍染が発案したものだからといって、今後禁止されることもありません……こんな言い方しかできなくてごめんなさいね、雛森さん。わたしの言いたいこと、伝わるとよいのですが……』

平子は、ぽろぽろと大粒の涙を流しながら語る雛森を見て、「ええ仲間に囲《かこ》まれてるなあ、雛森チャンは……」と、しみじみつぶやいた。

「オレも長いこと藍染といっしょにおって、いっぺんもおもろいと思うたことなかったか、っていうたら嘘になるわ……確かに、楽しいこともあったな」

藍染の冷静なツッコミは、嫌いではなかった。

だからといって、この怒りが薄らぐことはないけれど。

「あ〜あ！　雛森チャンが悩んでるて聞いて、オレがバッチリ解決したろ！　て思うてたのに、もう解決しとったんかい！」

平子はがっくりと肩を落とし、子供のようにふてくされた。雛森は指先で涙を拭《ぬぐ》い、「ふふっ、すみません」と小さく笑う。

「……ん？　ほな何でまだココにいてるん？」

平子が当然の疑問を口にする。肉体の傷が完治していることは、病室を訪ねる前に卯ノ花《うのはな》に確認済《ず》みだった。

雛森は再び表情を曇らせ、膝《ひざ》の上で組んだ指先に視線を落とした。

「……五番隊のみんなが、毎日のようにお見舞いに来て、言ってくれるんです。『隊のことは心配しないでくださいね』『もっと休んでくださっていいですよ』って。あたしのことを思ってそう言ってくれてるって、わかってるんですけど……なんだか、もう隊の中にあたしの居場所はないような気がして……！」

搾《しぼ》り出《だ》すように言って、涙をこらえようと、眉間《みけん》にぐっと力を入れる。

「アホッ!!」

その額《ひたい》に、平子のでこピンが、ぺちんっ、と小気味よい音を立てて炸裂《さくれつ》した。

「いひゃあっ⁉」

両手で額を押さえた雛森に、平子が言《い》い放《はな》つ。

「何を甘え腐《くさ》ってんねん⁉　ソイツらが言いたいんは、『あなたの帰る場所はちゃんと護《まも》ってますから安心してください』……そうゆうことやろが！」

雛森は、ハッと目を見開いた。

自分を見つめる平子の表情は厳《きび》しい。それなのに、なぜだか胸が温かかった。

「部下いうんは、常《つね》に上の者《モン》を見とる。せやから、オマエ以上にオマエのことをわかってんねん。その部下たちが、『雛森副隊長はこんなことで駄目《だめ》になるような人やない』て信じて気張ってんのやぞ？　……自分を一番見くびっとるのはオマエや、桃」

平子はその時初めて、雛森を〝桃〟と名前で呼んだ。

それが、彼女を己《おのれ》の部下とし、五番隊を率《ひき》いていくと決意した瞬間だった。

「はい……！　すみません…でした……っ！」

雛森は平子に頭を下げ、顔をくしゃくしゃにして泣いた。拭っても拭っても、次から次へと涙があふれてくる。

平子はフゥと息を吐《は》き、肩を震わせて泣いている雛森を、穏《おだ》やかな瞳《ひとみ》で見つめた。

「謝《あやま》る相手はオレちゃうやろ。行くで」

言って、立ち上がる。雛森は泣きはらした顔で、「ふぇ……？」と平子を見た。

「さっさと支度《したく》せえ！　戻るで、ウチの隊になァ！」

平子は、ニィ、と口角《こうかく》を上げて笑い、さっさと部屋を出て行ってしまう。

雛森が閉じられた扉をポカンと見つめていると、「はよせえ！」と廊下から急《せ》かす声が聞こえてきた。

「はい……！　はいっ、平子隊長！」

答えて、雛森はバタバタと身支度《みじたく》を始める。

その顔には、柔らかな笑《え》みが広がっていた。


「復隊してからは、おっそろしい速度で溜《た》まった仕事片づけとったなァ……隊長に就《つ》いてからこっち、オレがやることなんかほとんどあらへん。楽さしてもろてるわ」

雛森《ひなもり》は、通常なら部下に任《まか》せるような仕事もすべて引き受け、その分、彼らに休暇を与えていた。『あたしの分まで働いてくれてたお礼がしたいんです。っていっても、お休みをあげることくらいしかできないんですけど……』と、山のような書類に囲《かこ》まれて言う彼女は、晴れやかな顔をしていた。

「オレがむか〜しに隊長やってたころ、藍染《あいぜん》がウチの副隊長やってたん。アイツもよう働くヤツでなー。桃《もも》は、アイツ見て仕事覚えたんやろなァ……書類の書き方、整理整頓《せいとん》の仕方、ホンマ、びっくりするくらい似てるわ」

藍染は隊長位に就いてから、勤務体制の見直し、基本給の増額、諸手続きの簡略化など、隊士のためになる改革をいくつもおこなった。藍染にとって、それは人心掌握《じんしんしょうあく》の一環《いっかん》に過ぎなかったが、それにより隊士の境遇が改善されたことも確かだった。

藍染が残したものは、負の遺産ばかりではなかったのだ。

「平子《ひらこ》くん以外のみんなも十三隊に戻ったの？」

織姫《おりひめ》の質問に答えたのは、ルキアだった。

「鳳橋《おおとりばし》 楼十郎《ろうじゅうろう》殿《どの》は三番隊、六車拳西《むぐるまけんせい》殿は九番隊の隊長に、それぞれ就任されたのだ」

ふんふん、とうなずきながら聞いている織姫に、平子が補足する。

「反対するヤツもぎょうさんおったみたいやけど……ま、結局は、いつまでも空位にしといたらカッコがつかん、てことで決まったんやろなァ」

ただでさえ、一気に三名も隊長が欠《か》けたことで、瀞霊廷《せいれいてい》に住む人々に不安が募《つの》っているのに、このまま空位の状態が続けば、その不安は尸　魂　界《ソウル・ソサエティ》全土に広がっていくだろう。

中央四十六室《ちゅうおうしじゅうろくしつ》も、それだけは避けたかったようだ。

「オレらの隊長就任が決まって一番ゴネたんは、ひよ里《り》やったわ……」

平子がため息混じりに言うと、「そうでしたね……」とルキアも苦笑した。

「オレらは現世《げんせ》におる間、ずっと喜助《きすけ》が作った義骸《ぎがい》に入ってたんや。当然、義骸は年を取らん。せやから、オレらは一《ひと》つ所《ところ》に長居するわけにいかんかった。他のヤツはともかく、ひよ里、白《ましろ》、リサはあの外見やからなァ……年取らん子供は不自然すぎるやろ？」

元十二番隊副隊長・猿柿《さるがき》ひよ里、元八番隊副隊長・矢胴丸《やどうまる》リサ、元九番隊副隊長・久南《クナ》白の外見は、中学生だと言われてもうなずけるような——ひよ里に至《いた》っては、小学生にすら見える——少女の姿をしている。

仮面《ヴァイザード》の軍勢のアジトは、元鬼道衆《きどうしゅう》副鬼道長・有昭田《うしょうだ》鉢玄《はちげん》が開発した〝八爻双崖《はちぎようそうがい》〟という結界《けっかい》に守られていた。それは、結界内にあるものの存在自体を他者の意識下から完全に消し去る術で、アジト自体が発見されることはない。が、結界内だけで生活できるわけもなく、外出時には周囲の人間に顔を見られることになる。同じ場所に留《とど》まっていられる期間は、長くとも五年が限度だった。

「ひよ里はコソコソすんのがホンマに嫌いでなァ……。転々とアジトを変えなアカンことに、誰よりもイラついてたわ。そういうモンが全部、藍染と、藍染を信じた死神全体に向かったんやろな……オレが隊長に戻るて言うたら、おもクソどつかれたわ」

ひよ里は、平子が先に述《の》べたような理由から、仮面《ヴァイザード》の軍勢の中でも特に死神を毛嫌いしていた。藍染が投獄されたからといって積年《せきねん》の恨《うら》みが急に解消されるわけもなく、尸魂《ソウル・》界《ソサエティ》で死神として暮らしていくことなど考えられなかったのだ。

平子たちから隊長に戻るつもりだと聞かされたひよ里は、反射的に、〝裏切られた〟と思った。

「信っじられへん!! ハゲたことぬかすんもたいがいにせえよハゲェ!!」

ガードする間もなく、ひよ里の強烈な回《まわ》し蹴《げ》りが平子の側頭部にめりこむ。

びたぁあああん、と床に叩《たた》きつけられた平子は、しばらくの間、あまりの痛みにツッコミを返すことすらできなかった。

それは、その場に居合わせたルキアが、平子の首が折れたのではないか、と本気で心配するほど、苛烈《かれつ》を極《きわ》めた一撃だった。

織姫が、「今、ひよ里ちゃんは？」と問うと、平子は頭の後ろで両手を組み、空を仰《あお》いだ。

「アイツは、傷が治ってすぐ現世に戻りよったわ。たまに喜助んトコに顔出してはムチャクチャしてるみたいや」

浦原《うらはら》相手に相変《あいか》わらずの傍若無人《ぼうじゃくぶじん》ぶりを発揮しているであろうひよ里を思う。

平子の口元には、自然と笑《え》みが浮かんでいた。

「そっか……でも、一人じゃ淋《さび》しいよね……」

織姫は、以前訪ねたことのある仮面の軍勢《ヴァイザード》のアジトを思い出す。そこに一人でぽつんとたたずんでいるひよ里を思うと、胸がギュッと苦しくなった。

「心配要《い》らんで、織姫チャン！　羅武《ラブ》とハッチがいっしょやからな！」

鉢玄が現世へ戻る理由は、次のようなものだった。

『あのアジトを維持《いじ》するには、ワタシの結界《けっかい》が必要デス。ワタシにはココに留まりたい理由もアリマセンし。ソレに……長く留守にすると、ワタシに懐《なつ》いてくれていたネコたちが淋しがりマス』

愛川《あいかわ》羅武は、こうだ。

『オレも戻るぜ。少年ジャンプの存在しない世界に用はねえ！　まぁ、ひよ里のお守《も》りも必要だろうしな』

一人でさっさと帰ってしまったひよ里を追い、鉢玄と羅武も尸魂界《ソウル・ソサエティ》を後にしたのだった。

「リサと白もちょくちょく顔出しとるみたいやし、楽しくやってんのとちゃうか？」

「そうなんだ！　よかったぁー！」

織姫は、ホッとしたように息を吐いてから、ふと感じた疑問を口にした。

「……あれ？　リサさんと白さんがちょくちょく顔を出してるってことは、いつもは尸魂界《ソウル・ソサエティ》にいるってこと……かな？」

「そうゆうこっちゃ。二人共、基本的にはこっちにいてるで」

「私からも、一つお訊《き》きして宜《よろ》しいでしょうか？」

今度はルキアが質問する。

「なんや改まって！　もっとフランクに接してえや！　……で、何？」

ルキアの堅苦《かたくる》しさに不満をもらしつつも、平子は先をうながした。

「矢胴丸殿と久南殿が復隊されたという話は聞かないのですが、元々所属されていた隊へ戻られたわけではないのですか？」

過去に副隊長を務《つと》めていたほどの実力者が隊へ戻るとなれば、それなりの席位を与えられるはずである。しかし、ルキアはそのような内容の書類を見たこともなければ、報告を受けた覚えもなかった。

「白は九番隊に戻って相変《あいか》わらず拳西の周《まわ》りをチョロチョロしてんねんけど、隊士扱《あつか》いではないみたいやな。拳西が隊長に戻るてわかったら、アイツも『副隊長やる！』て言い出すに決まってるからなァ。今副隊長の……なんちゅうたっけ？　あの頰《ほお》に刺青《いれずみ》がある、目付きの悪い……」

「檜佐木修兵《ひさぎしゅうへい》殿ですね」

「そうそう！　その檜佐木と拳西で話し合って、白が食いつきそうな新しい役職に就かせた、て聞いたわ」

先日平子が拳西を訪ねた際に聞いたのは、次のような話だった。

拳西が九番隊の隊長に戻ると聞いた時の白の反応は、誰もが予想した通りのものだった。

「えー⁉　そんなのズルじゃん‼　拳西が隊長やるなら、あたしだって副隊長やーりーたーいーーっ‼」

白はギャンギャンわめきながら仰向《あおむ》けに床に寝転がり、駄々《だだ》っ子《こ》のように手足をジタバタさせた。

「拳西のバカバカバカバカバカバカ――‼」

困惑《こんわく》する檜佐木とは対照的に、こういう白を見慣れている拳西は冷静だった。

「……お前には、別の役職を用意してある」

白はピタリと動きを止め、拳西を見る。

「別のぉ……？」

不満気に口をとがらせる白に、コホン、と咳払《せきばら》いをしてから檜佐木が言った。

「白さんには、〝ウルトララジカルスクープエディター〟になっていただきたい！」

「ウルトララジカル……スクープエディター……！　なにそれなにそれっ⁉」

白の目が、一気に輝きを取り戻す。

檜佐木はここぞとばかりにたたみかけた。

「尸魂界《ソウル・ソサエティ》と現世――二つの世界を股《また》にかけ、まだ誰も見たことのない現象・事件を読者にお届けする、クールでマーベラス、スタイリッシュでファンタスティック、ビューティフルでエキサイティングな究極《きゅうきょく》の編集記者……それが、〝ウルトラジカルスクープエディター〟なのです！」

「やるっ!!」

即答、だった。

「白は響《ひび》きのカッコええ横文字が大好きやからなァ……」

ウルトラジカルスクープエディター、略すとＵＲＳＥ＝『うるせえ』となり、白に対する拳西の思いがこめられているのだが、本人はまだそのことに気づいていない。

「『瀞霊廷通信』の来月号から白の連載が始まるみたいやで？　現世のアレコレを紹介する内容らしいわ」

九番隊は護廷《ごてい》十三隊の文芸を担当しており、代々『瀞霊廷通信』の編集・発行を手がけている。当然、かつて九番隊の隊長だった拳西も編集長として活動していたのだが、かなりのブランクがあるということで、彼が今の瀞霊廷に慣れるまでは引き続き檜佐木が編集長を代行することになった。

拳西は、面倒の多い編集長というポジションを引《ひ》き継《つ》ぐつもりなど毛頭なく、このままずっと檜佐木に代行させるつもりなのだが――そのことを、檜佐木はまだ知らない。

「そうだったのですか……それで、新しい在籍者名簿にお名前がなかったのですね……」

『瀞霊廷通信』には、年に二度、全隊士の氏名を記載した『護廷十三隊在籍者名簿』が付属される。そこには、各隊ごとに、第二十席までは席位順、無席の隊士は五十音順に氏名が列記してある。

仮面《ヴァイザード》の軍勢のその後が気になったルキアは、全隊の名簿を隅々《すみずみ》まで確認したが、平子、拳西、ローズ以外の名は見つけられなかったのだった。

「矢胴丸殿も、元の隊……八番隊へ？」

「いや、リサは志波空鶴《しばくうかく》んトコに間借りして、死神相手に商売始めてん。『ＹＤＭ書籍販売』って知らんか？　男性死神の間では結構有名なんやで？」

志波空鶴というのは、西流魂街《にしルコンがい》に居《きよ》を構《かま》えている花火師である。

「あ……！　以前、その会社から電子書簡が届いたことがあったはず……」

ルキアは伝令神機《でんれいしんき》を取り出し、「これだ！」と画面にその電子書簡を表示して、織姫に見せた。

【現世で販売されているあらゆる書籍を御取り寄せ致《いた》します。秘密厳守。完全隠密《おんみつ》宅配。複数割引有り。書籍以外の品も応相談。注文は地獄蝶《じごくちょう》・電子書簡にて御受け致します。御興味のある方はこの電子書簡をそのまま御返信下さい。詳細《しょうさい》を送らせて頂《いただ》きます。YDM書籍販売】

読み終えた織姫が、「あ、怪《あや》しい……！」とつぶやく。ルキアも大きくうなずき、それに同意した。

「文面があまりにも怪しかったので返信しなかったのですが……矢胴丸殿の会社だったのですね」

「そうや。現世で仕入れた本と雑誌を通販してんねん。まァ、扱《あつか》ってる商品の九割九分がエロ本なんやけどな！」

商品の配達は、必ずリサ自身がおこなう。浦原から強奪《ごうだつ》した、霊圧《れいあつ》を完全に遮断《しゃだん》する外套《がいとう》を纏《まと》っておこなうため、誰にも気づかれることなく商品を送り届けることができる。この隠密性の高さが最大の売りであり、利用者にも大変好評らしい。

「オレ、現世のファッション誌が好きでなー。毎月リサんトコに注文してるで！乱菊《らんぎく》はブランド品のカタログ取り寄せとったし、ローズはマンガとCDを頼んでるみたいやな」

「成程《なるほど》！　そういう物も扱っているのですね！」

「主力商品はエロ本やけどな！」

「そう……ですか……」

ルキアは、最初に平子が、『男性死神の間では結構有名』だと言っていたことを思い出し、「成程、そういうことか……」と呆《あき》れたようにつぶやいた。

「エッライ儲《もう》かってるらしいで〜！　その儲けで、今度流魂街に家建てるとか言うてたわ。春画御《しゅんがご》殿《てん》やな！」

「ほっほーう……春画御殿……！」

おもしろそうな響《ひび》きに反応する織姫を、「食いつくな、井上《いのうえ》！」とルキアが制す。そんな二人を見て、平子はおかしそうに目を細めた。

「そういや、ココ来る途中でローズに会《お》うてんけど、織姫チャンにヨロシクて言うてたで？　なんや、干《ほ》し柿《がき》がどうのこうので……」

「ああ、干し柿！　うん、はい！　わかりましたー！」

思い当たる節《ふし》があったらしく、織姫は笑顔でうなずいた。

「井上は、鳳橋隊長と何か関《かか》わりがあるのか？」

ルキアにそう尋《たず》ねられた織姫は、少し照れくさそうに話し始めた。

「あたしがこっちで四番隊のお手伝いをしていた時にね、ローズさんの傷を治療したの。『こんなに早く治るとは思わなかったよ！　ありがとう！』って、すぐ救護詰所《きゅうごつめしょ》を出て行っちゃって……それから二週間くらいあとだったかな？　ローズさんが、治療のお礼にって干し柿を持ってきてくれたの。それがもう！　本っ当においしくて……！」

それは、今までに食べたことのある硬《かた》い干し柿とは違い、まだ果肉が瑞々《みずみず》しく、甘さもまろやかで、とろけるような食感だった。

「あたし、すごい勢いで食べちゃって……それを見てたローズさんが、『来年も作ったら分けてあげるからね』って言ってくれたの」

「そういえば、あの戦いから一週間程《ほど》あとに、三番隊隊舎《たいしゃ》の軒下《のきした》に干し柿がズラッと吊《つ》るしてあるのを見かけたな……」

それは、例年通りの光景だった。

今年もこの季節か……と、特に気に留《と》めず通り過ぎたルキアだったが、あとになって気がついた。

今までああして干し柿を作っていた市丸《いちまる》ギンは、もういないのだということに。

「ローズは散歩が好きでなァ。現世に居てる時も、用事もないのにようその辺ふらふら出歩いてたわ。傷が治ってから仮面《オレ》の軍勢全員のトコに顔出して、『瀞霊廷を散歩するのは……随分《ずいぶん》久しぶりだよ』とかキメ顔でしょーもないスカしたことぬかしよったからなァ……そん時、古巣の三番隊にも行ってみたんやろ」

ローズの物真似《ものまね》を交《まじ》えて話す平子を見て、織姫は、「すごい！ そっくり！」と、くすくす笑った。

藍染捕縛《あいぜんほばく》から、ちょうど一週間。

平子《ひらこ》が予想した通り、ローズは救護詰所《きゅうごつめしょ》を勝手に退院し、瀞霊廷内《せいれいてい》をぶらぶらと散歩していた。見覚えのある物とない物とが入《い》り混《ま》じった風景は、まるで自分のあやふやな記憶の中を歩いているようで、思いの外《ほか》楽しかった。

そうして気の向くままに歩き続け、ふと気づくと、三番隊の敷地に足を踏み入れていたのだった。

「帰巣《きそう》本能ってヒトにもあるのかな……？」

そう独《ひと》りごち、かつて長い時間を過ごしていた隊舎《たいしゃ》を見て回る。

各隊の隊舎は、その隊に割り当てられた敷地の範囲内であれば、隊長の一存で施設を増改築することができる。しかし、三番隊の隊長は代々そのようなことに興味がなかったらしく、老朽化《ろうきゅうか》した箇所《かしょ》が修繕《しゅうぜん》されている以外は、ローズが隊長に就《つ》いていたころとほぼ変わりがなかった。

変わらない光景は、変わってしまった自分や世界を、強く意識させる。

（郷愁《きょうしゅう》……なのかなぁ、このカンジ……）

故意《こい》ではなかったとはいえ、突然隊を抜け尸魂界《ソウル・ソサエティ》を去った自分を、当時の隊士たちはどう思ったのだろう……そのことを考えると、ちり、と胸が痛んだ。

「フフンフーン……フフフンフンフ……フンフフーン……♪」

ローズは、その胸の痛みを旋律《せんりつ》に変え、即興《そっきょう》で作った鼻歌を歌い始めた。

ちょうどその時、執務室《しつむしつ》へ戻るため、近くを歩いていた三番隊副隊長・吉良《きら》イヅルは、どこからか聞こえてくる悲しげなメロディーに足を止めた。

（中庭からか……？）

隊舎の壁沿《かべぞ》いに歩き中庭へ出ると、こちらに背を向ける形で、ローズが気持ちよさそうに鼻歌を歌っているのが見えた。

「あの……鳳橋《おおとりばし》楼十郎《ろうじゅうろう》さん……ですよね？」

イヅルは、ローズを驚かせないようにと、できるだけそうっと声をかけた。

歌うのをやめ、ローズが振り向く。

「そうだけど……キミは？」

「三番隊副隊長、吉良イヅルと申します」

ローズは、きっちりと礼をするイヅルをまじまじと見つめ、「へぇ、キミが今の……」

とつぶやいた。

「あ、そうだ！　ちょっとだけ貴賓室《きひんしつ》に入れてもらえないかな？　さすがに部外者が一人で入っちゃうのはダメだよなぁー、って思ってたところなんだ」

隊舎を見上げたローズに、イヅルが慌《あわ》てて言う。

「部外者だなんて……！　京楽《きょうらく》隊長から、鳳橋さんは、昔、三番隊の隊長をされていた方だとお聞きしました。遠慮なさらずに、いつでも隊舎へお立ち寄りください」

「どうも……ありがとう」

「いえ、先達《せんだつ》に敬意を払うのは当然のことですから」

イヅルはごく自然にそう言うと、「貴賓室でしたよね？　どうぞ、こちらへ」とローズを先導《せんどう》して歩きだした。

ローズは、どこかで思っていた。

自分たちは、十三隊にとって、目を背《そむ》けたい過去の汚点……今を生きる彼らとは相容《あいい》れないはずだ、と。

（線を引いていたのは、ボクのほうだったみたいだ……）

前を行くイヅルの背中を見つめて、ローズは小さくほほ笑《え》んだ。


貴賓室へ案内されたローズは、「全然変わってないねー！」と興奮気味に室内を歩き回り、西側の壁の一角で足を止めた。

「この辺だったたと思うけど……」

ひた、と右手を壁に当て、手のひらに霊圧《れいあつ》を込める。

すると、壁の一部が音もなく四角く凹《へこ》み、ススーッと上にスライドした。

「なっ……!?」

イヅルが驚愕《きょうがく》の声をあげる。

見慣《みな》れたはずの壁に、見知らぬ収納スペースがポッカリと口を開けていた。

「これ、知ってたかい？」

「全然知りませんでした……！　どういう仕組なんですか……？」

「霊圧《れいあつ》で個人を特定して、そのヒトにしか開けられないようになってるんだ。霊圧認証システム、ってところかな？」

「だから誰も気がつかなかったんですね……」

イヅルはそばに寄り、その中を覗《のぞ》きこむ。

高さ八十センチ・横幅三十センチ・奥行き二十センチのスペースに、それより一回り小さい黒いケースがすっぽりと収められていた。

「この収納場所もケースも、喜助《きすけ》に頼んで作ってもらったんだ。よっ……と！」

ローズはケースを取り出し、貴賓室の机に置いた。脇《わき》にある二か所の留《と》め具《ぐ》を外《はず》し、ふたを開ける。

そこには、一挺《いっちょう》のバイオリンが入っていた。

「楽器……ですか？」

「そう、バイオリン！　〝キャンディス〟っていうんだ。美人だろう？」

「はぁ……よくわかりません」

気のない返事をするイヅルなどおかまいなしで、ローズはいそいそと弓に松脂《まつやに》を塗《ぬ》り、恭《うやうや》しくバイオリンを構《かま》えて、静かに弓を滑《すべ》らせた。

柔らかな音が、部屋いっぱいに広がる。

「ああ……いいね！」

愛器との再会に胸を躍《おど》らせているローズを見て、イヅルはクスッと笑った。

「よかったですね……正直、百年以上も前の楽器が鳴るとは思いませんでした。それも、あんなにきれいな音で」

「このケースのおかげさ。これはね、温度と湿度を一定に保《たも》っておける特別なケースなんだ。百年も前にこんなものが作れるなんて、喜助ってホントすごいよねぇ……同じ時代にこの技術が現世《げんせ》にもあれば、失われずに済《す》んだ名器がたくさんあっただろうに……そうは思わないかい？」

ローズはバイオリンを調弦《ちょうげん》しつつ、イヅルに問いかける。イヅルは、「はぁ……よくわかりません」と、先ほどとまったく同じ気のない相槌《あいづち》を打った。それを気に留《と》める様子もなく、ローズは話を続ける。

「でも、さすがにメンテナンスは必要みたいだ……四楓院《しほういん》家の雅楽隊《ががく》ってまだ残ってるのかな？　キャンディスのことは、いつもあそこの人にお願いしていたんだけど……」

「どうでしょうね……四大貴族のことなんて、僕らには知りようがありませんから」

「そっかぁ……あとで夜一《よるいち》サンに訊《き》いてみなくちゃね」

バイオリンに向かって語りかけるローズに、イヅルが問う。

「それより、どうしてこんな風《ふう》に隠しておかなきゃならなかったんです？　当時は楽器の演奏を禁止するような規則でもあったんですか？」

ローズは、いや、と首を振り、バイオリンを見つめて懐《なつ》かしそうに目を細めた。

「ボクが隊長だったころ、副隊長がすごく厳《きび》しかったんだよね……射場千鉄《いばちかね》っていうんだけど、『これがあるけぇあんたは仕事せんのじゃろう！』って、しょっちゅうボクからキャンディスを取り上げてたんだ……」

一度弾《ひ》き始めると止まらなくなるから、との理由で、気分転換に弾くことも許されなかった。その日のノルマが片づけば返してもらえるのだが、ローズにはどうしても我慢ができなかったのだ。

「だからね、取りあげられる前に自分で隠しちゃおう、って思って、千鉄が休みの日に喜助を呼んで、コッソリ専用の収納場所を作ってもらったんだ」

秘密の収納ができて以降は、昼の休憩時間にバイオリンを持って隊舎を離れ、千鉄には聞こえない場所で思う存分演奏を楽しんだ。代わりに、『休憩から戻るのが遅い！』と毎日千鉄に叱《しか》られることになったが、長時間楽器に触れられないストレスに比《くら》べれば、何の苦にもならなかった。

「そんな個人的な理由で隊舎を改築したんですか……」

呆《あき》れたように言うイヅルに、ローズは、「いいんだよ！」と心外な顔をした。

「隊長の一存《いちぞん》で隊舎を増改築してもいいってコトになってるんだから！　キミの隊長だって、どこかしら改築したんじゃないの？」

「いえ、僕の知る限り、市丸《いちまる》隊長はどこも改築していませんでしたよ。ただ……」

「ただ？」

イヅルは窓際《まどぎわ》へ移動し、外を指差す。ローズも隣に並び、指《さ》された裏庭を見た。

「あれを植えられたのは、市丸隊長です」

そこには、立派な柿《かき》の木が立っていた。四方八方に伸びた枝に、橙色《だいだいいろ》のつやつやした実がたくさんなっている。

「柿……？」

「ええ。渋柿《しぶがき》なんですけどね。隊長は干《ほ》し柿《がき》がお好きで……この時期になると、毎年ご自分で作ってらっしゃいました」

　先の戦いで命を落とした元三番隊隊長・市丸ギンは、干し柿を作る日にはそれのみに集中し、一切《いっさい》通常の業務をおこなわなかった。『今日は全部イヅルの判断でやり。ボク、あとで文句言ったりせぇへんから』と、イヅルに隊首印《たいしゅいん》を渡し、全業務を一任していた。

　イヅルは二人分の仕事を淡々と消化しつつ、時々手を休め、執務室の窓から裏庭を眺《なが》めた。ギンの周《まわ》りには、入れ替わり立ち替わり手の空《あ》いている三番隊隊士が訪れ、干し柿作りを手伝っていく。何を考えているのかつかめない得体《えたい》のしれない人、と他隊の隊士から恐れられていたギンだったが、自隊の隊士にはその恐れも含《ふく》めて尊敬され、慕《した》われていた。

「干し柿かぁ！　クリームチーズに刻《きざ》んだクルミを混《ま》ぜて、干し柿に挟《はさ》んで食べるとおいしいんだよねぇ……！　キミは作れるのかい？　干し柿」

　口内にその味の記憶がよみがえり、ローズの〝干し柿を食べたい欲〟がどんどん高まっていく。

「そう……ですね。市丸隊長が作ってらっしゃるところを見ていましたから、たぶん作れると思いますけど……」

「だったら今年も作ろうよ！　ピカピカの実がこんなになってるのに、ムダにしたらもったいないじゃない！」

「でも僕、あまり干し柿は好きじゃないですし……」

「さっき言った食べ方なら絶対おいしいから！　こっちにクリームチーズがないなら現世から取り寄せればいいし！」

「味とかじゃなくて、食べるとお腹《なか》を壊す……」

「ボクも手伝うから！　ね？」

うん、と言うまで引く気がないらしいローズを見て、イヅルは深く長いため息を吐《つ》いた。

「……わかりました。作りましょう」

「ホントかい!?　ありがとう！」

「いえ、いいんです……毎年の恒例《こうれい》行事でしたから、楽しみにしていた隊士もいるかもしれませんし」

三番隊隊舎の軒下《のきした》にずらりと吊《つ》り下《さ》げられた干し柿は、初冬《しょとう》の風物詩だった。

市丸ギンは、物に執着《しゅうちゃく》しない男だった。彼がこの隊舎に居たという証《あかし》は、今やこの柿の木しかない。

イヅルはこの木を見るたび、ギンに裏切られたことや雛森《ひなもり》に手を上げてしまったことを思い出し、心がひどく沈んだ。必然的に、裏庭を通らず隊舎へ戻ることが増え、今日までこんなにもたくさんの実がなっていることに気がつかなかった。

(それでも、関《かか》わり続けていくべきなんだ……この木に実がなる限りは)

たとえ、そうすることで己《おのれ》の心が軋《きし》んだとしても。

この木との関わりを絶《た》つということは、自分が憧《あこが》れ、必死で背中を追いかけた市丸ギンとの繋《つな》がりをも断《た》ち切《き》ることだと思うから。

「あの……ありがとうございます」

ローズのわがままが、それに気づかせてくれた。

「え？　何が？」

唐突《とうとつ》なお礼に首をかしげているローズに、イヅルは、「いえ、なんでもないです」と首を振った。

「では、早速《さっそく》柿をもぎましょうか。先に外へ行っていてください。僕は倉庫に寄って、はしごを取ってから行きますから」

「オールライッ！」

元気良く返事をしたローズを残し、イヅルは貴賓室を後にした。


三番隊隊舎・裏庭。

イヅルがはしごを持って柿の木の下《もと》へ向かうと、そこには十数名の隊士が集まっており、その中心でローズがバイオリンを弾いていた。

心が安らぐような、美しい旋律《せんりつ》を奏《かな》でている。

「……何をしてるんです？」

「ああ、吉良クン！」

ローズは演奏を中断し、イヅルに手を振った。

「手伝ってくださるんじゃなかったんですか……？」

「モチロン手伝うよ！　でもさすがに二人じゃ大変だろう？　だからね、バイオリンの音色《ねいろ》で協力者を集めていたんだ。ね、みんな？　手伝ってくれるよね？」

ローズが呼びかけると、皆一様に、「はい！」「勿論《もちろん》です！」と笑顔でうなずいた。

「……隊長が亡《な》くなって、もう干し柿は作らないかもしれない、って思っていたので、こうしてまたみんなで集まれて、うれしいです……！　ありがとうございます、吉良副隊長！」

　涙ぐみながら、女性隊士の一人が言う。

「俺たち、毎年密《ひそ》かに楽しみにしてたんですよ！　席次も部署も関係なく集まれるのって、この時しかないですから」

「今朝《けさ》ここを掃《は》き掃除《そうじ》していた時に、『このまま柿の実が熟《じゅく》して腐《くさ》っちゃったらもったいないし、悲しいよね』って、みんなで話していたんです！　よかったぁ～！」

　明るい表情で、皆が口々に言った。イヅルが面映《おもはゆ》い気持ちでローズを見ると、ローズは声を出さずに唇《くちびる》だけを動かし、よかったね、と笑った。

「では、始めましょうか。手順は僕より皆さんのほうがわかっていると思うので、お任《まか》せしてもいいですか？　僕にできることがあったら遠慮なく言ってください」

　イヅルの言葉をきっかけに、皆があわただしく動き始める。

「手の届くところからどんどんもいでねー！」

「はしごってもう一台あったよな？」

「手が空いてる人はひたすら皮剝《む》いて！　こっちに小刀《こがたな》用意してあるから！」

「これだけじゃ紐《ひも》足《た》りないよ！」

皆慣れたもので、スムーズに作業が進んでいく。どこからか話を聞きつけた隊士が続々と集まってきて、三番隊隊舎は久々にかつての活気を取り戻していた。

イヅルは中央から少し離れた場所に腰を下ろし、皆の活《い》き活《い》きした姿を眺めながら、静かに柿を剝いていた。

その隣では、先ほどからずっと、ローズがバイオリンを弾き続けている。

「『ボクも手伝う』とおっしゃいましたよね……?」

じとっとした視線を送るイヅルに、ローズは悪びれる様子もなく、「BGMは任せて！」と笑顔を見せた。

イヅルは諦《あきら》めのため息を吐き、言う。

「せめて、もう少し明るい曲を弾いていただけませんか……?」

ローズの演奏は、悔恨《かいこん》、無念、哀惜《あいせき》、傷心、悲嘆《ひたん》、苦悶《くもん》……そういうものを喚起《かんき》させるような、暗い曲調だった。

「ゴメン！　でもキミを見てると、どんどんインスピレーションが湧《わ》いてきて止まらないんだ……！」

ローズは奏で続ける。イヅルから受けたイメージを、旋律に変えて。

イヅルは、延々と続く陰鬱《いんうつ》なＢＧＭを聞きながら、黙々と柿を剝き続けた。

「あそこはうまいことやってるみたいやなァ……ハの字眉《まゆ》で目つきの悪い金髪同士、気が合うんとちゃうか？　ローズはあの副隊長が気に入ったらしくてな、隊長就任《しゅうにん》が本決まりになる前から三番隊隊舎《たいしゃ》に入《い》り浸《びた》ってたんや。最近は、副隊長が大人《おとな》しいんをいいことに、現世《げんせ》から楽器持ちこんで、自分とこの隊士に教えてるらしいわ。あの辺《あた》り通るとウルサイやろ？」

平子《ひらこ》にそう尋《たず》ねられたルキアは、「うるさいとは思いませんが……」と前置きした上で、答える。

「確かに、楽器の音がするな、とは思っていました。そうですか……鳳橋《おおとりばし》隊長が……」

市丸《いちまる》ギンが隊を離れてからというもの、三番隊隊士の表情は、皆どこか沈んでいた。それがこの一、二か月の間に、見る見る明るさを取り戻していた。ローズの人柄《ひとがら》がそうさせたのか、音楽の持つ力がそうさせたのか、ただ時間が解決しただけなのかは定《さだ》かではないが、三番隊がよい方向へ向かっていることだけは、誰の目にも明らかだった。

「最終的にはオーケストラ作りたいんやと。もっと楽器増《ふ》やして、他隊からもメンバー集めるつもりやー、て言うてたわ」

「へぇー、おもしろそう！　楽しみだねぇ！」

興味津々《しんしん》の織姫《おりひめ》とは対照的に、平子は、「そうかァ？」と気のない返事をする。

「死覇装《しはくしょう》のオーケストラってかっこいいと思うけどなぁ……」

織姫がそうつぶやいた時、平子の懐《ふところ》で、ピロリロン、と電子書簡の着信音が鳴った。

「ん、またオレや」

伝令神機《でんれいしんき》を開き、届いた電子書簡に目を通した平子は、ニッと歯を見せて笑った。

「桃《もも》が、『きっちり一時間、お休みさせていただきました』て送ってきよったわ！　……しゃーない、そろそろオレも戻ろかな！」

伝令神機を懐に戻して立ち上がり、両手を上げ、ぐぐっと伸びをする。

「ほなまたな、織姫チャン！　ルキアチャン！」

二人を順に見て言うと、平子は踵《きびす》を返し、丘を下っていった。二人もその場に立ち、彼を見送る。

「またねー！」

大きく手を振る織姫の隣で、「失礼致《いた》します」とルキアが頭を下げた。

平子の後ろ姿が見えなくなるまで見送り、二人はまた、並んで腰を下ろす。

「みんな元気みたいで安心しちゃった！　ひよ里《り》ちゃんだけちょっと心配……かな？」

織姫は、現世《げんせ》へ戻ったらお菓子を持って会いに行ってみよう、と思った。

「井上《いのうえ》が来てくれてよかった。私は仮面の軍勢《ヴァイザード》の方々とほとんど面識がないのでな……なかなかお話を伺《うかが》う機会がないのだ」

いつも近況を尋ねてみたいと思っているのだが、実際は、瀞霊廷《せいれいてい》内で出会っても軽く挨《あい》拶《さつ》を交《か》わす程度で、そこから一歩踏み出すことができずにいた。

そんな人付き合いが苦手《にがて》なルキアに、誰とでもすぐに打《う》ち解《と》けられる織姫が、「朽木《くちき》さんから話しかけてみたらどうかな？」とアドバイスをする。

「私から……話すのか？」

思わず聞き返したルキアに、こくりとうなずき、続ける。

「仮面の軍勢《ヴァイザード》のみんなは、すごく長い間尸魂界《ソウル・ソサエティ》を離れてたでしょ？　きっと、自分がいたころとは環境も人もずいぶん変わっちゃってると思うんだぁ。知ってる人が少ないって、心細いんじゃないかな……あたしだったら、みんなのほうから話しかけてきてくれないかなぁ、って思うと思うな」

その考えを聞き、ルキアは、なるほど、と大きくうなずいた。

「そうだな……！　よしっ！　今度お会いした時には、私から話しかけてみよう！」

自分に言い聞かせるように言う。織姫は、「その意気だよ！」と、笑顔でルキアを力づけた。

春の日差しはぽかぽかと暖かく、それを浴びた柔らかな草も、じんわりと温かい。

ルキアは立てていた膝《ひざ》を伸ばし、深呼吸をした。若い緑の、清々《すがすが》しい香りがする。

「朽木さん、あの……あのね？」

その場には二人だけしかいないのに、妙に小さな声で、織姫が話しかけてきた。ん？　と首をかしげるルキアに、ものすごく言いづらそうにモジモジしながら、言う。

「えっとね……お弁当の残り……食べてもいい？」

「……え？」

電子書簡に書いてあった【相談したいこと】の話が始まるのだろう、と思っていたルキアは、一瞬事態を飲みこめず、大きな目をぱちくりさせた。

「あ、ああ！　勿論《もちろん》だ！」

脇《わき》によけてあった重箱を、織姫の前に置く。「ありがとう！」と満面の笑《え》みを見せる織姫を見て、ルキアはふと心配になった。

心優《やさ》しい織姫のことだから、残してしまうのは申《もう》し訳《わけ》ないと思い、無理をして完食しようとしているのではないか……と。

「井上、無理に食べずともよいのだぞ？　先程《さきほど》も言ったが、元より二人で食べ切れる量ではない……」

「無理じゃないよ!!　もう、ただただ食べたくって!!　ちょっとお腹《なか》が落ち着いてきたら、ああ……あれおいしかったなぁ……ってなってきちゃったから!!　朽木さんに、『井上ってめちゃくちゃ食べるなー』って思われたら恥ずかしいな、って思って言い出せなかっただけで、本当はもうちょっと前から食べたいなぁーって思ってて……!!」

「わかったわかった！」

ものすごい勢いで弁明してくる織姫をなだめ、小皿と箸《はし》を手渡す。

「たくさん食べることの何がいけないというのだ？　恥じることなどない！　さぁ、私のことはいいから、存分に食べてくれ！」

「うんっ、ありがとう！　じゃあ、いっただきまーす！」

織姫は、海老《えび》を使った手毬寿司《てまりずし》を頬《ほお》ばり、「ふわぁあ……！」と、そのおいしさに目を

輝かせる。

（こんな風《ふう》に食べてもらえたら、作った方もうれしいだろうな……）

おいしさを顔全体で表現している織姫を見て、ルキアはふわりと目を細めた。

「ところで井上、相談したいことというのは何だったのだ？」

ルキアに尋ねられ、織姫が、ピタッと動きを止める。

「わ、忘れてたわけじゃないんだよ⁉　ほんとだよ⁉　食べ終わったら言おうと思ってたのほんとに！」

ルキアは、「わかっているから落ち着け」と笑い、織姫の肩を軽く叩《たた》いた。

織姫は、口に運ぼうとしていた大根の酢《す》の物《もの》を小皿に戻し、箸を置いた。一枚一枚が桜の花びら型に切りそろえられた大根は、梅酢《うめず》で桜色に染《そ》められており、真っ白な小皿の上に桜の花びらが降り積もったように見える。

織姫は両腕でギュッと膝を抱《かか》えこみ、遠くを見やって言った。

「聞いてほしかったのはね……黒崎《くろさき》くんのことなの……」

そこから先をどう切り出そうか、迷っているようだった。ルキアはその横顔を見つめ、急《せ》かすことなく次の言葉を待つ。

「黒崎くんね……いつもつらそうなんだ……」

織姫は、この数か月間の一護《いちご》の様子を、ぽつぽつと語り始めた。

力を失い、ひどく戸《と》惑《まど》っていたこと。

この生活を、『望んでいた』と言って笑うこと。

その笑顔が、とても淋《さび》しそうに見えること……。

「黒崎くんのために何かしたいのに、あたし、なんにもできない……！」

織姫は以前、盾舜六花《しゅんしゅんりっか》の能力を使えば、一護が死神の力を失う前の状態まで戻せるのではないかと考え、実際に試してみたことがあった。しかし、どんなに精神を集中して術を使っても、力は戻らなかった。

一護は、『気にすんなって！　がんばってくれてアリガトな！』と、落ちこむ織姫を笑顔で励《はげ》ました。

彼のその優しさが、何よりもつらかった。

「きっと期待させちゃったと思う……力が戻るかも、って。でもやっぱりダメで……黒崎くんもがっかりしてるはずなのに、あたしのこと、励ましてくれて……」

その時の淋しげな笑顔を思い出し、織姫は自分の膝に顔を埋《う》めた。

「あんな顔させるつもりじゃなかったのに……っ！」

ザァ、と強く風が吹き、織姫の柔らかな髪が吹き乱される。髪の合間から見えた頬《ほお》には、大粒の涙が光っていた。

ルキアは小さく震えている織姫の背中にそっと手を当て、静かに口を開いた。

「……一護はいつも、何かを護《まも》るために戦ってきた。それは彼奴《きゃつ》の行動理念であり、礎《いしずえ》だ。特殊な力を持たぬ人間同士の諍《いさか》いであれば、今の一護が後《おく》れをとることはまずなかろう。それで護れる者も多いはずだ」

実際、一護は力を失ってからも、多くの人々を救っていた。チンピラ風の男に因縁《いんねん》をつけられていた学生を助けたり、引ったくり犯を捕《と》らえたり、車に轢《ひ》かれそうになった老人を助けたり……ベランダで足を滑《すべ》らせ落下した少女を地上すれすれで抱きとめ、命を救った時には、警察から感謝状も送られた。

「だが、彼奴《きゃつ》はもう知ってしまった。人としての力だけでは、救えぬ者達の存在を……」

今の一護には、見ることも触れることもできない。それでも、確かに彼らは存在し、危機にさらされている。何気《なにげ》なく通り過ぎた街角《まちかど》で、今にも虚《ホロウ》が魂魄《こんぱく》を食らおうとしているかもしれない。

それを知りながら、自分には何もできない――。

「護る、という思いが人一倍強い一護には、耐《た》え難《がた》い苦痛だろう……」

なんとかしてやりたい、と思った。

一刻も早く、どんな手を使ってでも。

「私に任《まか》せてくれ」

ルキアは、織姫の手をとった。顔を上げた織姫が、涙に濡《ぬ》れた目でルキアを見つめる。

「必ず一護に死神の力を取り戻させてみせる」

握《にぎ》った手に、強く力をこめる。

それは、織姫と自分に対する誓《ちか》いだった。

それがどれ程に困難で、どんなにわずかな可能性であっても、必ず成《な》し遂《と》げてみせるという、誓いだった。

「朽木さん……っ！」

思いのこもったルキアの視線を受け止め、織姫がぽろぽろと涙をこぼす。

「だから、井上。お前は笑顔でいてくれ。お前が元気のない一護を見て胸を痛めるのと同じように、お前が落ちこんでいると、私も皆も悲しい気持ちになる」

「うっ……ううっ……ふえぇ〜〜〜！　ありがとお〜〜〜〜！」

織姫はえぐえぐと泣きながら、ルキアの手を両手で握り返した。

「全く……笑顔でいてくれ、と言ったばかりだろう？」

ルキアは苦笑しつつ、空《あ》いている手で織姫の背中をさすった。

「うん、うん……っ！　うぅ……朽木さんに話してよかったよう……！」

一護が己《おのれ》の無力さに苦しんでいるのと同時に、織姫もまた、それを解決できない己の無力さに苦しんでいたのだった。

ルキアはいたわるように背中をさすりつつ、これまでの織姫の心労を思った。

「ほら、もう泣くな！　弁当はどうする？　もう片づけるか？」

「まだ食べる……っ！」

泣きながらも食べ物を欲する織姫を見て、「そうかそうか」とルキアがほほ笑《え》む。それにつられて、織姫の顔にもようやく笑みがこぼれた。

「えへへ……！　今食べたら、全部しょっぱくなっちゃうかもしれないね！」

服の袖口《そでぐち》で涙を拭《ふ》きながら言う。ルキアは、「ははっ！　そうだな！」と笑い、小皿と箸を差し出した。

それを受け取った織姫が、「あっ！」と声をあげる。

「どうした？」

ルキアが問うと、織姫はルキアにも見えるように、小皿を傾けた。

「見て見て！　よくできてるから仲間だと思ったのかなぁ？」

先ほどの強い風に飛ばされてきたのか、花びら型の酢の物の隣に、本物の桜の花びらが数枚、寄《よ》り添《そ》うようにして載《の》っていた。

二人は顔を見合わせ、どちらからともなく、ほほ笑みあった。

3

織姫《おりひめ》を見送ったあと、隊舎《たいしゃ》へ戻り業務を片づけたルキアは、とっぷりと日が暮れてから、空座町《からくらちょう》を訪れた。

廃《はい》ビルの屋上に降り立ち、町並みを眺《なが》める。

懐《なつ》かしい、と思った。

「ほんの数か月離れていただけだというのに……この町には、印象的な思い出が多すぎるのだな……」

記憶の密度が濃いせいか、何年もここで暮らしていたような気すらする。

死神となった一護《いちご》の背に乗り、魂葬《こんそう》のために夜の町を駆け回ったのは、いつのことだったか……。ひどく昔のことのように思える。

ルキアと出会い、護《まも》る力を手にした少年は、口ではブツブツと文句を言いながらも、楽しげに任務をこなしていた。

「待っていろ、一護……！」

必ず、彼に力を取り戻させる。

ルキアは強い決意を胸に、夜空へと身を躍《おど》らせた。


屋根から屋根へ飛び渡り、浦原《うらはら》商店の前へと着地したルキアは、表のシャッターが開いているのを見て首をかしげた。

(閉店時間はとっくに過ぎているはずだが……)

中から漏《も》れ出《で》る明かりに引かれるようにして近づくと、店内から聞き覚えのある怒鳴《どな》り声《ごえ》が聞こえてきた。

ガラス戸越しに中をのぞき見る。見覚えのある後ろ姿が、店の奥に向かって吠《ほ》えていた。

臙脂《えんじ》色《いろ》のジャージに、耳の上で二つにくくった金色の髪――猿柿《さるがき》ひよ里《り》である。

店舗《てんぽ》部分と居間とを仕切っている障子《しょうじ》が開いていたため、店主である浦原喜助《きすけ》が、居間の畳《たたみ》の上で正座をさせられているのが見えた。

(何をしているのだ……?)

疑問に思いつつも、ルキアは、「邪魔《じゃま》するぞ」と引き戸を開けた。

それと同時に、ひよ里の怒声《どせい》が店中に響《ひび》き渡《わた》る。

「やらんて言うたらやらん!! 何遍《なんべん》言うたらわかんねん!? 耳クソ山ほど詰《つ》まってんのとちゃうか!!」

「まぁまぁ、ひよ里サン……」

「帰るッ!!」

肩を怒《いか》らせ浦原に背を向けたひよ里は、引き戸を開けた状態で硬直しているルキアを見て、「あんた確か……」とつぶやいた。ルキアは視線を合わせたまま、「ど、どうも……」と会釈《えしゃく》をする。

「喜助ェ! 客やぞ!」

ひよ里は再び振り返り、奥の居間に向かって声を張りあげた。

「お客……?」

つぶやいて立ちあがった浦原は、ちょうどひよ里の陰《かげ》になっていたルキアの姿を見ると、目を丸くした。

「朽木《くちき》サンじゃないっスか! お久しぶりっス!」

慌《あわ》てて下駄《げた》を突っかけ、店舗へ出て来る。

「夜一《よるいち》サンから聞きましたよ! 副隊長に昇進されたんスよね? おめでとうございま

す！」

「ああ、ありが……うぁうッ⁉」

ルキアが礼を言い終えるより早く、ひよ里は彼女の胸ぐらをつかみ、グイッと己《おのれ》の眼前に引き寄せた。額《ひたい》と額が触れそうなほど、顔が近い。

「オイ、十三番隊！　あんた、平子《ひらこ》真子《しんじ》のことは知ってるな？」

「は、はい……」

近距離で凄《すご》まれ、ルキアは思わず涙目《なみだめ》になった。

「ほな、ハゲカス真子に会《お》うたら、『ウチからや！』言うて、あのハゲのキンタマおもっクソ蹴《け》たぐっとけ‼　ええな⁉」

「ええと……お、お伝え…しておきます……」

「頼んだで‼」

それだけ言うと、ひよ里はルキアから手を放し、ジャージの前についているファスナーを上げた。二人が注視する前で、棚《たな》に並んでいる駄菓子《だがし》をわしっとつかみ取り、首元からジャージの中へ、無造作《むぞうさ》に突っこむ。

「ああっ、ひよ里サン！　売り物は勝手に持ってっちゃダメっスよ！　……せめて、アタシにわからないようにやってくださいッ！」

浦原の制止など気にも留《と》めず、ひよ里は駄菓子を服に詰め続けた。彼女の細い体が、雪だるまのようにみるみる膨《ふく》らんでいく。

ジャージがパンパンになるまで駄菓子を詰め終えたひよ里は、キッと浦原をにらみつけた。

「こんな辛気《しんき》くさいハゲ散らかした店まで聞きたくもない話聞きに来たってんから、このくらいの報酬《ほうしゅう》、もらって当然や!!」

ひよ里は少しも悪びれることなく、ピシャーンと勢いよくガラス戸を開け、そのまま閉めずに去って行った。ジャージの裾《すそ》から、ポロポロと飴玉《あめだま》を落としながら。

浦原は苦笑しつつ飴玉を拾い集め、ガラス戸を静かに閉めた。

「猿柿殿《どの》はどうされたのだ……？　凄《すさ》まじい剣幕《けんまく》だったが……」

「いやね、最近お店が忙しくなってきたんで、ひよ里サンにここの店員として働いていただけないか打診してみたんスけど……ね」

浦原の頬《ほお》についた真っ赤な平手打ちの跡《あと》を見れば、交渉が決裂したことは明らかだった。

「人手が足《た》らぬほど忙しいのか？」

意外だ、とルキアは思う。

この店には、浦原以外にも、握菱鉄裁《つかびしテッサイ》、花刈《はなかり》ジン太《た》、紬屋雨《つむぎやウルル》という三名の従業員がいる。人通りの少ない町外《まちはず》れに建つ小さな駄菓子屋に、これ以上の人手が必要だとは思えなかった。死神相手の商売も、利用者はそれほど多くはないはずだ。

「いやぁー、忙しいんスよねぇ……以前はコッソリ仕入れて細々《ほそぼそ》と売っていたんで、アタシらだけで十分手は足りていたんスけど……あの戦いのあと、尸魂界《ソウル・ソサエティ》公認で商売ができるようになりまして」

今回の一件で、浦原喜助の名が隊士の間に広く知れ渡ったため、現世《げんせ》での駐在《ちゅうざい》任務に就《つ》いている者たちが、こぞって浦原商店を訪れるようになっていた。

「そうだったのか！　では、過去の罪《つみ》は不問に……？」

「ええ。総隊長が四十六室《しじゅうろくしつ》に掛け合ってくださったようで、百一年前、アタシと鉄裁サンと夜一サンに下された判決は、取り消されたそうです。すべては藍染《あいぜん》の謀略《ぼうりゃく》によるものであり、アタシらに罪は無かった……と」

中央《ちゅうおう》四十六室は、四十人の賢者《けんじゃ》と六人の裁判官から構成される、尸魂界《ソウル・ソサエティ》の最高司法機関である。絶対的な決定権を持つ四十六室の信用が失墜《しっつい》すれば、尸魂界《ソウル・ソサエティ》の秩序は容易《たやす》く崩壊《ほうかい》してしまうだろう。それ故《ゆえ》に、一度下された判決が覆《くつがえ》ることなど、まずあり得ない。

長く司法を司《つかさど》ってきた前任の構成員が藍染の手により全員殺害されたことで、後任を選出する間、護廷《ごてい》十三隊の総隊長である一番隊隊長・山本元柳斎重國《やまもとげんりゅうさいしげくに》が、一時的に四十六室としての役割を担《にな》っていた。その際の功績が認められ、四十六室が再始動した現在も、元柳斎の発言には一定の力がある。こうして過去の裁定を見直させることができたのは、そうした背景があったためだった。

「長かったっスねぇ……」

浦原は、静かに目を伏《ふ》せた。

――百一年。

ただひたすらに、研究を続けてきた。

結局、平子らの虚化《ホロウか》を解除することはできなかった。己《おのれ》の内なる世界へ潜《もぐ》り、その身に巣食《すく》った虚《ホロウ》と戦い制圧する、〝内在闘争〟という方法を編《あ》み出《だ》し、彼ら自身に虚化《ホロウか》を制御してもらうのが精一杯だった。

「平子サンたちも隊長に戻られたようで……本当によかった」

そうつぶやいて目を開くと、ルキアがじっと自分を見つめていた。「なんスか?」と首をかしげる。

「……ありがとうございました」

言って、ルキアは深々と頭を下げた。

十三番隊の副隊長として、心からの謝辞を述《の》べる。浦原の持つ高度な技術と協力がなければ、藍染の捕縛《ほばく》は叶《かな》わなかっただろう。

浦原は、「よしてくださいよォ!」と苦笑し、照れくさそうにポリポリと頬を掻《か》いた。

「望んで現世へ来たわけじゃありませんでしたが……アタシは今のこの生活が、とても気に入ってるんスよ」

穏《おだ》やかな顔で、言う。「そうか」とうなずき、ルキアもほほ笑《え》んだ。

「それで……本日はどんなご用件で? あ、立ち話もなんですから、奥へどうぞ」

二人は連れ立って居間に上がり、ちゃぶ台を挟《はさ》んで腰を下ろした。

「今日、井上《いのうえ》が尸魂界《ソウル・ソサエティ》へ来てくれたのだが……」

ルキアは、織姫から聞いた一護の現状を、かいつまんで伝えた。

すべてを聞き終えた浦原が、「そうですか……」と神妙な顔でうつむく。

「どうにかして力を取り戻してやりたいのだ……！　何か手立てはないのか？　私に出来ることなら協力は惜《お》しまぬ！　だから……！」

すがるような目を向けてくるルキアを見て、浦原はため息混じりに言った。

「先、越されちゃいましたね……」

「……どういう意味だ？」

ルキアが怪訝《けげん》な顔をする。

「実はもう、研究を始めているんスよ……黒崎《くろさき》サンが力を失った、あの瞬間から」

「浦原……！」

目を丸くするルキアに、浦原が続ける。

「黒崎サンが力を失ったのは、元をたどれば、アタシが崩玉《ほうぎょく》を作ったせいですから……彼が〝無月《むげつ》〟を使わざるを得ない状況になった時から、力を戻す方法を考えていました」

力を失った瞬間の、彼の目を覚えている。

寄《よ》る辺《べ》を失った幼子《おさなご》のような、淋《さび》しげな色をしていた。

「研究を完成させてから報告して、皆サンをびっくりさせようと思ってたんスけどねぇー。はぁー、先に言われちゃうとはなぁー」

そう言って、わざとらしくため息を吐《つ》く。「そう恨《うら》めしそうな目で見るな」と、ルキアが笑った。

「……もう少し、時間をください。必ず完成させてみせます」

浦原の真摯《しんし》な言葉に、ルキアは強く一度、うなずいた。

4

浦原《うらはら》から連絡が入ったのは、それから一年後のことだった。

連絡を受け、浦原商店に駆けつけたルキアは、鉄裁《テッサイ》に先導《せんどう》され、広大な地下空間の一角に建つ白い建物に通された。

部屋中に得《え》体《たい》の知れない機械がところ狭《せま》しと並べられ、無数のコードが乱雑に床を這《は》っている。どうやらここは、浦原の研究施《し》設《せつ》らしかった。

「店長！　朽木《くちき》殿《どの》がお着きになりましたぞ！」

鉄裁が部屋の奥に声をかける。

「はいはーい！　どうぞ奥へー！」

どこからか、浦原の声が返ってきた。それぞれの機械が立てる動作音と混《ま》ざり合《あ》い、声の出所《でどころ》が特定できない。

「ご案内致《いた》します。ささ、こちらへ。足元には十分お気をつけください」

「ああ、頼む」

ルキアはこくりとうなずき、鉄裁のあとについて慎重《しんちょう》に歩いた。

それでも、途中で一度転びそうになったのだが、鉄裁がいち早くそれに気づき、「危な――い！」と死覇装《しはくしょう》の後《うし》ろ襟《えり》を引っつかんで持ちあげたため、転ばずに済《す》んだ。ぷらーん、と吊《つ》り下《さ》げられたまま、「このままお運びしますかな？」と尋《たず》ねられたルキアは、「平気だ！　だから早く降ろしてくれっ！」と顔を真《ま》っ赤《か》にして抗議し、ようやく解放されたのだった。

その後は床を凝視《ぎょうし》しながら歩いたため、無事に浦原の下《もと》へたどり着くことができた。

「いらっしゃいませ、朽木サン！　何か騒いでらっしゃったようですが……どうかされましたか？」

巨大なモニターに向かっていた浦原が、こちらへ歩いてくる。

「騒いでなどおらぬ！　一切《いっさい》騒いでなどおらぬが、床の配線はなんとかすべきだと思うぞ！」

「いやー、そうなんスよねぇ。ウルルとジン太《た》も毎回ハデに転んじゃうんで、どうにかしないと、とは思ってるんスけど……ジン太なんて、転ばせるためにわざとこのままにしてるんじゃないか、なんて言いだす始末で……」

「そんなことはいい！　早く本題に入ってくれ！」

ルキアが話の脱線を咎《とが》めると、浦原は、「そっスね、すみません」と軽く肩をすくめた。

「じゃあ鉄裁サン、お願いします」

「承知！」

浦原の指示を受け、鉄裁は部屋の隅《すみ》に寄せてあった台車《だいしゃ》をルキアの目の前まで押してきた。台車の上には、直径六十五センチ、高さ百二十センチほどの、透明の円筒《えんとう》が載《の》せられている。

「これは……？」

円筒の中に、光る刀が浮かんでいた。輪郭《りんかく》はゆらゆらと不定形で、温かみのある黄みがかった白い光を放《はな》っている。

「それは、黒崎《くろさき》サンに力を注《そそ》ぎこむための刀です」

「力を注ぎこむ……死神能力の譲渡《じょうと》か……ということは、これは斬魄刀《ざんぱくとう》なのか？」

通常、死神の能力を譲渡する場合は、己《おのれ》の斬魄刀で相手を貫《つらぬ》き、そこへ霊圧《れいあつ》を注ぐことで、相手を死神化させる。

「似たものではありますが、斬魄刀ではありません。譲渡の方法は斬魄刀と同じなんスけどね。一心《いっしん》サンにご協力をお願いして、彼の剡月《えんげつ》をベースに作らせてもらいました」

一護《いちご》の斬魄刀・斬月《ざんげつ》は、父親である黒崎一心の斬魄刀・剡月と、非常に近い性質を持っていた。一護に死神の力——斬月との繋《つな》がりと霊圧を取り戻させるには、一心の協力が不可欠だったのだ。

「この刀を生成するための技術自体は一週間ほど前に完成していたんですが、協力をお願いした一心サンに、少し考えさせてほしい、と言われましてね……」

力が戻るということは、一護が再び戦いの場へ駆り出されるということである。

父親である一心が思い悩むのも当然だった。

「……昨日《きのう》、石田《いしだ》サンが何者かに襲《おそ》われたんです」

唐突《とうとつ》な報告に、ルキアがビクッと肩を震わせる。

「何……!? 一体誰に!? 傷の具合は!?」

「相手は不明です。石田サンは現在も入院中ですが、命に別状はないそうです」

ルキアは少しホッとして、「そうか……」と詰《つ》めていた息を吐《は》く。

「石田サンが襲われたことで、黒崎サンは己の無力さを再認識したのでしょう……昨夜になって一心サンが協力を申し出てくださったのは、そんな黒崎サンの姿を見ていられなかったからかもしれません……」

　一心は、最愛の妻である黒崎真咲《まさき》を、虚《ホロウ》の手から救うことができなかった。

　護《まも》りたいものを護れなかった時の苦しみは、誰よりもわかっている。

「この刀で能力を譲渡できることはわかったのだが……譲渡後の死神の能力値は、込められた霊圧量に比例するのではなかったか？　一護に以前のような力を取り戻させるなら、相当量の霊圧が必要になるぞ……？」

「ええ、わかっています。ですからこの刀には、皆サンに霊圧を込めてもらうんっスよ」

　それを聞いて、ルキアは目を見開いた。

「複数名の霊圧を込められるのか……⁉」

　浦原は、「その通りっス！」と胸を張る。

「その調整が難しくて、ずいぶんと苦労しましたよ……」

　霊圧とは指紋のようなもので、まったく同じ霊圧を持つ者は二人と存在しない。尸魂《ソウル・》界《ソサエティ》において、死神能力の譲渡が重罪に当たる一つの理由が、霊圧を分け与えるその行為が、自身の身分証明を譲《ゆず》り渡《わた》すのと同義だからである。

異《こと》なる霊圧を合わせることは非常に難しく、一つの物体に複数の霊圧を込められるような高レベルの霊圧調整技術は、これまで尸魂界《ソウル・ソサエティ》に存在しなかった。

「現世《げんせ》にいる皆サンには、既《すで》に霊圧を込めてもらいました。ひよ里《り》サン、愛川《あいかわ》サン、鉢玄《はちげん》サン……それから、アタシと鉄裁サンも」

「皆、協力してくれたのだな……」

「ええ。連絡したら、皆サンすぐに駆けつけてくださいました」

鉢玄は胸の前で両手を組み、言った。

『コレで、ようやく一護クンに恩返しができますネ……』

羅武《ラブ》は、ニッと口角《こうかく》を上げて笑った。

『男としては、受けた恩義にはキッチリ報《むく》いねぇとな!』

ひよ里はそっぽを向いたまま、ぼそりとつぶやいた。

『最終的に藍染《あいぜん》をやったんは一護やからな……これはその礼や』

三人は揃《そろ》ってやってきて、順番に霊圧を込めると、『コンビニ寄ってくか!』『あんた立ち読み長いから嫌《いや》や!』『ワタシは薬局に寄りたいデス』などとしゃべりながら帰っていった。三人になっても、楽しくやっているようだ。

「では、早速《さっそく》私も……！」

ルキアの手が刀に触れる前に、「待ってください！」と浦原が制止した。

「朽木サンには、最後に霊圧を込めてもらいたいんスよ」

「最後に……？」

「ええ。この刀に込められた霊圧は、それぞれが混ざり合うことなく、核となる一心サンの霊圧の周囲に順番に蓄積《ちくせき》されていきます。ちょうど、木の年輪のような感じっスね」

浦原は、閉じた扇子《せんす》を刀に見立てて、身振り手振りを交《まじ》えつつルキアに説明する。

「朽木サンには、その一番外側……つまりは、最初に黒崎サンに流れこむ霊圧を込めてもらいたいんスよ。朽木サンの霊圧で刀をコーティングすることで、他の霊圧も馴染《なじ》みやすくなるはずです……黒崎サンは既に一度、朽木サンの霊圧を受け入れているわけですから」

「……成程《なるほど》。そういうことなら、最後に込めることにしよう」

ルキアがうなずくのを見て、浦原は帽子を取り、自分の胸に押し当てた。

「よろしくお願いします」

言って、ゆっくりとお辞儀をする。

「こちらこそ、宜《よろ》しく頼む」

ルキアも、同じように立礼《りつれい》を返した。

「それじゃ、これからこの刀を尸魂界《ソウル・ソサエティ》へ運ぶ手配をしますね！　明日《あした》の終業後までには、西流魂街《にしルコンがい》にある空鶴《くうかく》サンのお宅へ運んでおきますから、朽木サンは戻って協力をお願いできそうな方に連絡をしておいていただけますか？」

「うむ、任《まか》せておけ！」

「それから、地獄蝶《じごくちょう》は大勢に飛ばすと目立ちますんで、連絡する際は、口頭か電子書簡を使ってください。この件の電子書簡は、通信技術研究所に集積されないよう、既に手は打ってありますんで」

技術開発局内にある通信技術研究所には、尸魂界《ソウル・ソサエティ》中の通信を常《つね》に監視している装置がある。それは、地獄蝶や伝令神機《でんれいしんき》、天挺空羅《てんていくうら》に至《いた》るまで、種類を問わず情報を集積し、分析し続けている。掟《おきて》に抵触《ていしょく》するような情報が発見されると、装置から警告が発せられ、研究員がその内容を検分する。そこで問題有りと判断されると、十二番隊隊長兼技術開発局局長・涅《くろつち》マユリに報告される。その後はマユリの判断で、元柳斎《げんりゅうさい》や隠密機動《おんみつきどう》に情報が送られ、対象者に見合った処分が下されるのである。

浦原は、この研究施設のコンピューターを使って通信技術研究所の装置に侵入し、明日一日だけ、死神能力の譲渡に関する記述を検出しても集積しないよう設定を書《か》き換《か》えた。

そもそも、百年以上前にこの装置の大本《おおもと》を作ったのが浦原なので、抜け道ならいくらでも知っているのだった。

「仕事が早いな！」

「石田サンが襲われた以上、悠長《ゆうちょう》なことは言っていられませんからね……」

「……そうだな。では、明日」

ルキアはきりりと表情を引《ひ》き締《し》め、踵《きびす》を返した。

「はい、明日！　それから、足元に気をつけ……」

浦原が言い終える前に、ルキアは床を這う無数のコードに足を取られ、びたぁーん、と顔面から思いきり転んだ。

「……大丈夫っスか？」

浦原が心配そうに声をかける。

痛みと恥ずかしさで、床に伏《ふ》したままプルプルと震えているルキアに、鉄裁が歩み寄った。

「やはり、私が外までお運び致しましょう！」

後ろ襟《えり》をむんずとつかんで持ちあげ、ルキアをぶら下げた状態で、入り口に向かって歩きだす。

「こら止《よ》せっ！　一人で歩ける！　おいっ！　聞いているのか⁉　もういいと言っているだろう⁉　降ろせ‼　貴様、何故《なぜ》話を聞かぬのだ⁉　頼む……！　頼むから降ろしてくれ——‼」

ルキアの絶叫が、徐々に遠ざかっていく。

浦原は二人を見送りながら、この件が片づいたらコードをどうにかしよう、と、強く心に誓《ちか》うのだった。


尸魂界《ソウル・ソサエティ》。

深夜になって朽木邸《くちきてい》へ戻ったルキアは、できるだけ足音を立てないように長い廊下を歩き、自室へ向かっていた。

白哉《びゃくや》の部屋の前を通り抜けようとした時、

「帰ったのか……」

障子《しょうじ》越しに、中から声をかけられた。

「申《もう》し訳《わけ》ありません、兄様《にい》……！　起こしてしまいましたか……？」

ルキアは慌《あわ》ててその場に正座し、こうべを垂《た》れる。

「……構《かま》わぬ。まだ起きていた」

中で白哉が立ち上がる気配があり、畳《たたみ》を歩く足音が近づいてくる。

「副隊長ともなれば、業務が長引くこともあろう」

すす……と微《かす》かな音を立て、障子が開かれた。ルキアが、「ええと、その……はい」と曖昧《あいまい》に答えつつ顔を上げると、白哉はその顔を見て、不思議そうに眉《まゆ》をひそめた。

ルキアは気づいていなかったが、先ほど顔から思い切り転んだせいで、床にぶつけた彼女の鼻は、一目見てわかるほど真《ま》っ赤《か》になっていたのだった。

「あの……兄様？」

白哉の表情が何を意味しているのかわからず、ルキアは首をかしげる。

白哉は、言うべきか言わざるべきかわずかに逡巡《しゅんじゅん》したが、結局、そのことには触れずに目を伏《ふ》せた。

「……明日《あす》に備《そな》え、早く休め」

「はい、ありがとうございます！　お休みなさいませ、兄様！」

ルキアは、真っ赤な鼻のままニコリとほほ笑《え》み、廊下を去って行く。それを見送ると、白哉はその足で仏間へ向かい、仏壇の前に座った。

亡《な》き妻・緋真《ひさな》の遺影を見つめて、ぽつ、とつぶやく。

「矢張《やは》り言うべきだっただろうか……」

ルキアのこととなると、朽木家の当主とは思えぬほど些細《ささい》なことで思い悩んでしまう白哉であった。

5

十三番隊隊舎《たいしゃ》・執務《しつむ》室《しつ》。

翌朝、始業時刻よりも早く執務室へ入ったルキアは、伝令神機《でんれいしんき》を手に、真剣な表情で協力者を募《つの》るための文面を作成していた。

そうして悩んでいるうちに、いつの間にか始業時刻目前になっていたようで、「おっはようございまーす！」と、同隊第三席・虎徹清音《こてつきよね》が入室してきた。

「おはようございます、虎徹殿《どの》」

ルキアは急いで席を立ち、ペコッと頭を下げる。

「立たなくていいってば！　もう副隊長になって一年も経《た》つんだからさ〜。三席のあたしが入ってきても、堂々とふんぞり返ってればいいの！　わかったら、あたしが座るまで待ってないでさっさと座る！」

「は、はい！　すみません！」

そろそろと椅子《いす》に腰かけるルキアを見て、「も〜、すぐ謝《あやま》るんだから〜！」と笑いつつ、清音も自分の席に着いた。

　通常、執務室には隊長と副隊長二人分の机しか置かれていない。しかし、十三番隊は隊長である浮竹十四郎《うきたけじゅうしろう》が病弱であり、体調不良で欠勤することが多いため、その際の補佐をする者が使用するための仕事机が、二つ余分に設置されているのだ。


　カーン、カーン、カーン、カーン……。

　始業時刻を報《しら》せる鐘《かね》の音《ね》が、瀞霊廷《せいれいてい》に響《ひび》き渡《わた》る。


「だらぁっしゃあああああぁぁぁ――――ッ!!」

　鐘の音が鳴り終わると同時に、二人目の第三席・小椿仙太郎《こつばきせんたろう》が執務室へ滑《すべ》りこんできた。

「セェエエ――フッ!!」

「ギリでアウトだろ今のは!!　ねっ、副隊長？　って、また立ってる!!」

　仙太郎に、「おはようございます」と立礼《りつれい》しているルキアに、すかさず清音がツッコむ。

　ルキアはハッとして、申《もう》し訳《わけ》なさそうに座った。

「俺、間に合ったよな!?　副隊長!!」

ルキアの机にバンッと両手をついて、仙太郎が言う。

「バァ～カ！　遅刻に決まってんでしょ⁉　バシッと言ってやってよ、副隊長‼」

清音も席を離れ、ルキアに詰《つ》め寄《よ》った。二人はルキアのほうに顔を向けたまま、お互い相手の脇腹《わきばら》にガシガシと肘《ひじ》打ちを入れ合っている。

「い、一旦《いったん》落ち着きましょう！」

二人をなだめようと、ルキアは両手を前にかざした。

その右手には、先ほど文面を打ちこんでいた伝令神機が握《にぎ》られたままだったため、ちょうど二人に書きかけの電子書簡を見せる形になった。

「〝力を失った黒崎一護《くろさきいちご》に〟？」

「〝死神の能力を取り戻させる〟……ってマジかよ朽木《くちき》ィ⁉　じゃなかった副隊長ッ⁉」

「あんたまた何かやらかそうとしてんの⁉」

二人に問い詰められたルキアは、数秒の逡巡《しゅんじゅん》のち、意を決したようにうなずいた。

「浦原喜助《うらはらきすけ》が、一護に力を取り戻させるための刀を開発したのです。それを使い、霊圧《れいあつ》を注《そそ》げば、一護は再び死神に戻ることができます。しかし、これは死神能力の譲渡《じょうと》で……」

「あたしも混ぜてっ‼」

「俺も混ぜろッ!!」

清音と仙太郎の声が、まったく同時に、室内に響く。

「真似《まね》してんじゃないわよキモヒゲ!!」

「テメーこそ俺様の真似だろうが猿《さる》オンナッ!!」

「何よ!?」

「やんのかァ!?」

互いの胸ぐらをつかみ合う二人に、ルキアは深く頭を下げた。

「ありがとうございます……!」

顔を上げてほほ笑《え》み、「それと、喧嘩《けんか》はお止《や》めください」とつけ足《た》す。

「礼なんていいのいいの! あたし、ずっと思ってたんだぁ……朽木はいつも自分の思う通りに行動しててカッコイイなぁーって! だからさ、もし今度難しい選択《せんたく》を迫《せま》られたら、あたしも自分の心に従おうって、決めてたんだよね!」

へへっ、と照れくさそうに清音が笑う。

「このハナクソ猿に同意すんのは気に食わねーが、俺も同じ意見だぜ、朽木! たまには先輩にもカッチョいいとこ譲《ゆず》れよなッ!!」

仙太郎は人差し指で、ツン、とルキアの額《ひたい》をつついた。

「うわっ、セクハラだ〜〜〜!!　副隊長になんてことしてんのよゲロださクソヒゲ口クサ能なし短足口クサ男っ!!」

「口クサって二回入ってんじゃねぇか!!　マジでクセェと思われたらどうすんだコラア!?」

「マジで臭《くさ》い」

「きゅ、急にトーン落とすんじゃねぇよ……!!　マジでマジっぽくなんだろ!?」

いつものようにやいのやいの言い合う二人を見て、ルキアはくすくすと笑った。


副隊長に就任《しゅうにん》してから、約一年。どんな時でもルキアをそばで支《ささ》えていたのは、清音と仙太郎だった。

『朽木家の力で副隊長になったのだろう』などと陰口《かげぐち》を叩《たた》く者がいれば、清音の強烈なかかと落としと仙太郎の激烈なラリアットが問答無用で炸裂《さくれつ》した。

二人は、執務室にこもりがちなルキアを外へ連れ出し、一般隊士を誘って甘味処《かんみどころ》へ行ったり、皆で泥だらけになって草花の世話をしたり、他隊の隊舎へ遊びに行ったりした。

そうやって連れ回されているうちに、ルキアはこれまで面識の薄かった隊士たちと、いつの間にか親しくなっていた。

『おはようございます、副隊長！』『この間副隊長が召《め》しあがった栗《くり》ぜんざい、今月いっぱいで終わっちゃうみたいですよー』『聞いてくださいい副隊長～！　虎徹三席がヒドイんです～！』『あ、副隊長！　たくさん咲いたんで、少し摘《つ》んできたんです。よかったらこの花、執務室に置いてください』『今お帰りですか、副隊長？　お疲れ様です！』

皆が、次々とルキアに声をかけてくる。

先日、久々に定時に出勤し、執務室で丸一日を過ごした浮竹は、そんなルキアと隊士たちのやりとりを見て、目頭《めがしら》を熱くした。

それは彼にとって、とても懐《なつ》かしい光景だったのだ。

（海燕《カイエン》……お前が遺《のこ》した心は、確かにここにあるぞ……！）

浮竹は目を細め、その光景を強く胸に焼きつけた。


「で、誰に送るつもりなの？」

ルキアが電子書簡の文面を書き終えるのを待って、清音が尋《たず》ねた。

「連絡先を知っている方には送ってみるつもりです。えっと……四番隊の山田《やまだ》花太郎《はなたろう》と、日番谷《ひつがや》先遣隊《せんけんたい》でご一緒だった……日番谷隊長以外の皆さんに送ろうと思います」

「……まぁ、さすがに隊長さんに掟《おきて》を破らせるわけにはいかねぇもんな」

仙太郎が腕組みをし、大きくうなずく。

「オッケー、じゃあ浮竹隊長には内緒ね！　あたし、ちょっと姉さんに連絡してくる！」

ルキアが、「宜《よろ》しくお願いします」と言い終えるより早く、清音は自分の伝令神機を手に、廊下へ出て行った。

「よォし！　そんじゃあ、チャッチャと今日の仕事、終わらせちまうか！」

仙太郎は死覇装《しはくしょう》の両袖《りょうそで》をまくりあげ、部屋の入口に設置されている書類箱から、本日分の様々《さまざま》な書類を取り出した。三人の机の上に、ドサッドサッと配って回る。

「小椿殿……？　どう見ても、私の分だけ書類が少ないのですが……」

ルキアの机に積まれた書類の高さは、二人の半分にも満たない。

「オマエは俺らより早く空鶴《くうかく》さんとこ行って、みんなを出迎えなきゃなんねーだろうが！　だからそのくらいでいいんだよッ！」

仙太郎は照れくさそうに言って、ドカッと椅子に座った。

「ありがとうございます……！」

机に、ちょこん、と両手を着いて頭を下げるルキアを見て、仙太郎は、「礼なんか要《い》らねーって！」と苦笑する。

「どっしり構《かま》えてろ！　オマエは俺たちの上官なんだからよ！　ホラ、その電子書簡、さっさと送っちまえ！」

仙太郎にうながされ、ルキアは祈るような気持ちで、送信ボタンを押した。

【突然の便《たよ》りを御許し下さい。十三番隊の朽木ルキアです。浦原喜助が、力を失った黒崎一護に死神の能力を取り戻させる術を完成させました。特殊な刀に複数名で霊圧を込め、それで一護を貫《つらぬ》き、力を注ぎこむことで、再び死神化させます。これは死神能力の譲渡にあたり、尸魂界《ソウル・ソサエティ》の掟に背《そむ》く行為です。発覚すれば厳しく罰《ばっ》せられます。それを十分考慮され、それでも尚《なお》、御助力頂《いただ》けるのであれば、本日終業後、西流魂街《にしるコンがい》第一地区・潤林安《じゅんりんあん》の北西に位置する志波《しば》空鶴邸《てい》へ御足労願います。】

四番隊隊舎《たいしゃ》・執務室《しつむしつ》前廊下。

「ええっ⁉　……うん……そうなんだ！　うん、でも……う〜ん……」

壁際《かべぎわ》にしゃがみこみ、虎徹勇音《こてついさね》が伝令神機《でんれいしんき》で通話をしている。困り顔で話しているその相手は、妹の清音《きよね》である。

霊圧譲渡《れいあつじょうと》の件について説明を受けた勇音は、返答に迷っていた。

力になりたい、とは思う。しかし、掟《おきて》を破れば、心から尊敬している隊長の卯ノ花烈《うのはなれつ》に迷惑をかけることになる。

それだけは、どうしても避けたかった。

『姉さんだって、黒崎一護《くろさきいちご》には感謝してるでしょ？』

「それは……もちろんそうだけど……」

『じゃあ決まりだね！　ヨロシクー！』

「あっ、清音！　清音⁉」

呼びかけながら受話口に耳を押し当てる。清音からの返答は、ない。

勇音は、通話が終了したことを告《つ》げる画面を見つめ、「切れちゃった……」と、呆然《ぼうぜん》とつぶやいた。

「うーん……どうしよう……！」

頭を抱《かか》えてうずくまる勇音の肩に、ぽん、と誰かが手を置いた。

「どうかしましたか？　勇音」

涙目《なみだめ》で振り向いた勇音に、その手の主《ぬし》――卯ノ花が、柔らかな声で尋《たず》ねた。

執務室へ戻り、勇音から事情を聞いた卯ノ花は、「そうですか……」と言ったきり黙ってしまった。

「やっぱり、ダメ……ですよね？」

組んだ両手に視線を落として、勇音が言う。

「理由はどうあれ、掟は掟ですもんね……清音にもやめさせなきゃ……ダメですよね……」

少し待ってみたが、卯ノ花からはなんの返答もない。

「隊長……？」

沈黙に耐《た》えかねて顔を上げると、卯ノ花は何事もなかったかのように、書類に目を通していた。

「なんです、勇音？」

「え……？」

「私は何も聞いておりませんよ」

しれっと言《い》い放《はな》ち、窓の外を見る。

晴れ渡った青空には、雲一つない。

「あら、いいお天気だこと……せっかくのお天気ですから、今日は終業時刻を早めましょうか。ねぇ、勇音？」

振り向いた顔には、今日の春空のように暖かな笑顔が広がっていた。

「隊長……！　ありがとうございますっ！」

勇音は深々と頭を下げ、「各班に通達してきます！」と執務室を飛び出していった。


同時刻、綜合救護詰所《そうごうきゅうごつめしょ》・薬品保管室。

本日使用する分の薬を取りに来た四番隊第七席・山田花太郎《やまだはなたろう》は、そこでルキアからの電子書簡を受け取った。

読了後、花太郎は伝令神機《でんれいしんき》を握《にぎ》りしめ、「早めに上がれるようにがんばらなきゃ……！」

と、自分に言い聞かせるようにつぶやいた。

救護・補給が業務の主である四番隊には、戦闘よりも治癒《ちゆ》能力に秀《ひい》でた隊士が集まっているため、所属隊士の平均的な戦闘能力は他隊よりも低い。そのことを他隊——特に、戦闘に特化した十一番隊隊士からは馬鹿にされており、本来ならば自隊で処理すべき雑用を押しつけられているため、四番隊では残業が日常化しているのだった。

「早く上がれるといいですねー、山田七席」

近くの棚《たな》で薬の在庫確認をしていた同隊第八席・荻堂春信《おぎどうはるのぶ》が、花太郎のつぶやきを聞いて、そう声をかけた。

「すみません！　うるさかったですか……？」

「いえいえ、ちっとも！　僕が地獄耳なだけですからお気になさらず」

ニコリと笑う荻堂を見て、花太郎はホッと息を吐《は》いた。

「ところで……今日はデートなんですか？」

「ちちっ、ちちちっ、ち、違いますっ！　ちっ、ちがっ、違いますよっ！」

花太郎は、首がもげるんじゃないかと心配になるほど激しく首を横に振った。

（山田七席はからかいがいがあるなぁ……）

荻堂がにこやかなまま非道な感想を抱《いだ》いていると、扉が開き、同隊第三席・伊江村《いえむら》八十《やそ》千和《ちか》が顔を出した。

「山田、ここにいたのか！　捜《さが》したぞ！」

　室内へは入ってこず、言う。

「卯ノ花隊長直々《じきじき》のお達しで、今日は全員、午后《ごご》五時には上がっていいそうだ！　第十四班には、班長のお前から伝えておくように」

「は、はい！　伝えます！」

　間の抜けた性格のため、同じ隊の隊士にすら舐《な》められがちな花太郎だが、治癒能力の高さには定評があり、第十四上級救護班の班長を任《まか》されているのだ。

「どうして急に……今日って何か特別な日でしたっけ？」

　荻堂の問いかけに、伊江村も首をひねる。

「いや、それが……『天気が良いから』だそうだ」

「天気……ですか」

　二人が頭に疑問符を浮かべるなか、花太郎は一つの可能性に思《おも》い至《いた》っていた。

（卯ノ花隊長……今日の一護《いちご》さんの件、知っているんじゃ……？）

だとすれば、突然終業時刻が早まったことも納得《なっとく》できる。

——確証はない。が、なぜだか花太郎には、確信めいたものがあった。

「じゃあ僕、班に戻りますね！」

荻堂と伊江村にペコッと頭を下げ、花太郎は意気揚々《ようよう》と薬品保管室を駆け出した。手ぶらで。

「山田ーッ‼　これを忘れてどうするー‼」

【第十四班】と書かれた薬品箱を持って追いかけてきた伊江村に、花太郎は躊躇《ちゅうちょ》なく土下座をし、ぺこぺこと何度も高速で頭を下げた。

それを目撃していた女性隊士の間では、『伊江村三席、山田七席に土下座させてたんだよ！』『ほんとヒドイよね〜！』『あの眼鏡《めがね》の班にだけはなりたくないわ！』と、親切に薬を届けた伊江村のほうが悪者にされていたのだが、当人たちは知る由《よし》もなかった。


六番隊隊舎前。

阿散井恋次《あばらいれんじ》にルキアからの電子書簡が届いたのは、前日の業務報告書を持ってきた同隊所属の行木《ゆき》理吉《りきち》と立ち話をしていた時のことだった。

文面を読み進めるうちに、自然と口角《こうかく》が上がっていく。

「んだよ！　ルキアの奴《やつ》、コソコソこんなことやってたのか……！」

「何ニヤニヤしてるんですか？　何かお祝いごとですか？」

理吉にそう尋《たず》ねられ、恋次は、「一護《いちご》を死神に戻す方法が見つかったらしいぜ！」と、その文面を開いたまま、彼に伝令神機《でんれいしんき》を手渡した。

理吉は、ふんふん、とうなずきながら読み進める。その顔つきが、徐々に真剣になっていく。

「……恋次さん。この書簡、僕にも転送してもらえませんか？」

伝令神機を返しつつ、理吉が言った。

「そりゃ構《かま》わねぇけど……まさか、テメーも来るつもりか⁉」

恋次が問う。理吉は視線をそらさず、「はい」とはっきり答えた。

「……隊長副隊長はともかく、一般隊士は発言の機会すら与えられずにクビになるかもしれねぇぞ……？　それでもいいのか？」

「もちろん、覚悟の上です！　……僕みたいなほとんどの一般隊士は、虚圏《ウエコムンド》遠征にも空《から》座町《くらちょう》決戦にも参加してなくて……本当に、ただただ黒崎《くろさき》一護さんに護《まも》られただけなんです。護廷《ごてい》隊の一員として、ほんの少しでもお返ししたいじゃないですか……！」

藍染《あいぜん》という絶対的な強者を前に、自分はあまりにも無力だった。

「僕みたいに思ってる人、結構いるはずなんです。この電子書簡を回せば、たくさんの隊士が集まると思います！　一人一人の霊圧《れいあつ》は小さくても、合わせればかなりの霊圧になると思うんです！　だから……お願いします!!」

勢いよく頭を下げた理吉を見て、恋次は伝令神機を操作し、先の電子書簡を転送した。

「……ほら、受け取れ！」

理吉の胸もとで、ピロリロン、と着信音が鳴る。

「ありがとうございます、恋次さん……!!　それじゃあ、またあとで！　すぐみんなにも転送しますからー！」

手を振りながら去って行く理吉に、「おう！　あとでなー！」と答えた恋次は、真央霊術院《しんおうれいじゅついん》で同期だった吉良《きら》イヅルと雛森桃《ひなもりもも》にも電子書簡を転送してから、「これでよしっ！」と踵《きびす》を返した。

すると、

「のわぁあッ⁉　た、隊長ッ‼」

自分の真後ろに、朽木《くちき》白哉《びゃくや》が立っていた。

「何を騒いでいる……？」

言って、白哉はわずかに眉《まゆ》をひそめる。

「えぇと……俺が説明するより、コレ見てもらったほうが早いスね」

恋次は手にしていた伝令神機を白哉に渡した。画面には、ルキアからの電子書簡が表示されたままになっている。

最後まで目を通した白哉は、昨夜ルキアの帰りが遅かった理由を知り、「……成程《なるほど》」とつぶやいた。

「隊長も行かれますよね？」

恋次の問いかけに、白哉が、ぴくり、と眉根《まゆね》を寄せる。そこから微《かす》かな憤《いきどお》りを感じ取った恋次は、次の言葉を待ち、身を硬《かた》くした。

「……恋次」

「は、はい！」

「それを問う必要があるのか……？」

その言葉に、バッと顔を上げる。

白哉の瞳《ひとみ》に怒《いか》りの色はなく、その表情はどこまでも静かで、穏《おだ》やかだった。

——彼は、暗に言っているのだ。

〝無論、行く〟と。

「いいえ、必要無いっス！　すみませんでした！」

恋次は、ビシッと気をつけの姿勢をし、勢いよく頭を下げた。

「……職務に戻れ」

「はい、隊長！」

白哉と共に執務室へ戻った恋次は、両手で自分の頰《ほお》を叩《たた》いて気合を入れ、張り切って仕事を再開した。


【阿散井恋次だ！　ルキアからの電子書簡を転送するぜ！　《転送：朽木ルキアです》】


【六番隊・行木理吉よりみんなへ。十三番隊・朽木ルキア副隊長からの書簡を転送します。

僕らみたいな下級隊士は、バレたら速攻でクビになると思う。だから、よく考えて行動してください。でも、僕らが黒崎一護さんに恩返しできるチャンスはこれしかないと思う。

《転送：朽木ルキアです》】

十番隊隊舎《たいしゃ》・執務室《しつむしつ》。

日番谷冬獅郎《ひつがやとうしろう》が、各所から提出された前日の業務報告書に目を通していると、眠そうな顔でのろのろと書類をめくっていた松本乱菊《まつもとらんぎく》が、「ひゃあんッ！」と奇声をあげて椅子《いす》から飛びあがった。

「な、何だ⁉」

ビクッと肩を震わせ、日番谷が顔を上げる。

「びっくりしたぁ……！　伝令神機《でんれいしんき》、バイブモードにしてたのすっかり忘れてました～」

乱菊は笑顔でそう言うと、なんの恥じらいもなく胸の谷間に手を突っこみ、そこから伝令神機を引っ張り出した。

「なんてとこにしまってんだ……！」

「だって、ここなら絶対なくさないんですもん」

イラ…

「だからって、女が人前でそんな……」

「あ、朽木《くちき》からだわ〜！　珍しいわねぇ！」

苦言を呈《てい》す日番谷をサクッと無視して、乱菊は届いた電子書簡を読み始める。

（この野郎……ッ！）

日番谷は、イラッと眉間《みけん》にしわを寄せたものの、このようなことは日常茶飯事《さはんじ》なので特に言い返さず、再び報告書に視線を落とした。

（あの子、ナイショでこんなことしてたのね……！）

読み終えた乱菊は、画面を見つめたまま柔らかくほほ笑《え》んだ。

「隊長も読みたいですかぁ？」

黙々と報告書を読み進めていた日番谷が、怪訝《けげん》な顔をして乱菊を見る。

「なんで俺が……お前に来た書簡だろう？」

「この内容は隊長も興味あると思いますよ？　一護《いちご》のことですから」

「黒崎《くろさき》の……？　あいつがどうかしたのか？」

「まぁまぁ、読めばわかりますから！」

言って、日番谷に電子書簡を転送したあと、「京楽《きょうらく》隊長と七緒《ななお》にも送らなきゃね〜」と、転送書簡に添《そ》える文章を打ち始めた。

転送されてきた文面を読んだ日番谷は、元の電子書簡の宛先欄《あてさきらん》を見て、あることに気づいた。

「……おい、松本。この電子書簡……朽木は気ィ遣《つか》って、隊長の俺には送らないようにしたんじゃねぇのか……？」

　阿散井恋次、松本乱菊、斑目一角、綾瀬川弓親、山田花太郎。

　そこに名前が挙《あ》がっている花太郎以外の四名は、かつて日番谷と共に、破面《アランカル》の急襲に備《そな》え、先遣隊《せんけんたい》として現世《げんせ》へ派遣《はけん》されたメンバーである。その際、情報の伝達を円滑《えんかつ》におこなうため、現世へ向かう前に全員で連絡先を交換し合った。連絡先を知っている相手にこの電子書簡を送っているのであれば、意図的に日番谷を外《はず》していることは明確だった。

それを聞いた乱菊は、「はい、そうだと思いますけど?」と当然のように答える。

「『思いますけど?』じゃねぇだろ！　それがわかってんのに、なんだってお前は……」

「じゃあ、隊長は込めないんですか?　霊圧《れいあつ》」

そう指摘され、日番谷は言葉を詰《つ》まらせた。

乱菊は軽く首をかしげて、じっと次の言葉を待つ。

しかし彼女には、自分の上官がどう答えるつもりなのか、もうわかっていた。だからこそ、ルキアの意図《いと》を汲《く》み取《と》った上で、彼にあの文面を転送したのだ。

日番谷は、フイッと乱菊から視線をそらし、眉間にしわを寄せたまま深く息を吐《は》いた。

「……わかりきったこと聞くんじゃねぇ」

机の端に積んであった書類を、ドサッと手元に引き寄せる。

「さっさと片づけるぞ！」

乱菊は、「はぁ～い！」と返事をし、シャンと背筋《せすじ》を伸ばして椅子に座り直した。

「よぉ～しっ！　今日はマジメにやるぞ～！」

そう宣言してから仕事を始めた乱菊を見て、日番谷は、「……頼むから、いつもそうしてくれ」と、ため息混じりにつぶやくのだった。

【十三番隊の朽木から、大事なオネガイがあるんだって！　転送するからヨロシクね～！
松本乱菊♥　《転送：朽木ルキアです》】

十一番隊隊舎《たいしゃ》。

始業時刻から約三十分が経過したころ、隊首室《たいしゅ》前の廊下を、半分眠っているようなヨロヨロした足取りで歩く人影があった。寝癖のついた薄桃色《うすももいろ》の髪が、歩くたびにふよふよと揺れている。

十一番隊副隊長・草鹿《くさじし》やちるである。

「剣《けん》ちゃあーん……起きてー」

やちるは、隊首室の襖《ふすま》をボスボスと叩《たた》き、中に向かって呼びかけた。

「……叩くんじゃねえ」

隊首羽織《ばおり》を身につけ、同隊隊長・更木《ざらき》剣八《けんぱち》が襖を開けると、起こしに来たはずのやちるが、べたーっと廊下に突《つ》っ伏《ぷ》して眠っていた。

「おい、やちる。起きろ」

剣八が腰帯《こしおび》をつかんで持ちあげると、床がやちるのよだれでベトベトになっていた。

「ったく、汚ぇな……」

「んぇあ……？　あー、剣ちゃんおはよっ！」

やちるは、小動物のように両手でわしゃわしゃと顔をこすり、ようやく完全に目を覚ました。

「隊長ォ――!!」

そこへ、伝令神機《でんれいしんき》を手にした斑目一角《まだらめいっかく》が駆けこんできた。

きれいに剃《そ》りあげられた頭が、朝陽《あさひ》を浴びて、ピッカリと輝いている。

「うおっ!?」

一角は、やちるのよだれでズルッと足を滑《すべ》らせ、

「ホギャアッ!!」

派手に転んで、したたかに背中を打った。

「あっは！　つるりんがつるんつるんに滑ったー！」

それを見たやちるが、剣八にぶら下げられたまま、手足をバタバタさせて笑う。

「うるせぇ!!　なんでか知らねぇが、ここが濡《ぬ》れてたんだよッ!!」

額《ひたい》に青筋《あおすじ》を浮かべ、廊下をバンバンと叩く一角に、剣八が言う。

「やちるのよだれだ」

「うぉおい!!　テメーのせいじゃねぇかッ!!」

きゃっきゃと笑うやちるに、一角が吠《ほ》える。剣八は、「うるせぇな……」と小指で耳を

ほじりながら、一角を見た。

「何か用だったんじゃねぇのか」

「ハッ、そうでした……！　これ見てください！　一護《いちご》に力が戻りますよ！」

一角は伝令神機を操作し、ルキアからの電子書簡を画面に表示して、剣八に手渡した。

「あたしにも見して！」

やちるは剣八の腕を伝って背中に登り、肩口からひょこっと顔を出して画面を覗《のぞ》きこむ。

「うぅ～～なんか漢字がおおくてよくわかんない！　なんて書いてあんのー？」

やちるが尋《たず》ねると、一角は面倒くさそうな顔をしながらも、「だからァ……！」と内容を噛《か》み砕《くだ》いて説明した。なんだかんだ言っても、一角は面倒見がよいのだ。

と、その時。

ダダダダダッと廊下を駆ける足音が近づいてきた。

「隊長っ！　黒崎《くろさき》一護が……」

曲がり角から現れたのは、綾瀬川弓親《あやせがわゆみちか》だった。

隊首室前の三人を見て一瞬で現状を把握《はあく》し、「……一角に先を越されたようだね」と肩をすくめる。

「おう！　お前にも来たか、ルキアちゃんの電子書簡！」

「ああ。どうやら、日番谷先遣隊《ひつがやせんけんたい》のメンバーに送ってるみたいだね……日番谷隊長が外《はず》れているのは、意図《いと》的なものなんだろうな……ほら、ここを見れば、他に誰に送ったのかわかるだろう？」

弓親は自分の伝令神機を取り出し、画面に宛先欄《あてさきらん》を表示してみせた。一角はそれを横から覗きこみ、「なんだよ、やけに少ねぇな？」と眉《まゆ》をひそめる。

「ルキアちゃんが連絡先を知っている人に限られるだろうからね……でも、今頃みんなが知り合いに回していってるんじゃない？　恋次《れんじ》は同期の吉良《きら》イヅルや雛森《ひなもり》ちゃんに送るだろうし、乱菊《らんぎく》さんは八番隊の二人に送ってそうだし」

「確かにな……ってことは、俺らは射場《いば》さんに送るべきだな！」

「そうだね、僕から送っておくよ」

「ゆみちー、あたしもほしー！」

懐《ふところ》から取り出したピンク色の伝令神機をぶんぶんと振りながら、やちるが言った。

「はいはい。じゃ、副隊長にも送りますね。それにしても、複数名の霊圧《れいあつ》を込められる刀か……相変《あいか》わらず、信じがたい技術力だね……」

流れるような素早いキー操作で電子書簡を転送しつつ、弓親が言う。一角はそれにうなずき、剣八に向き直った。

「確か、譲渡後《じょうと》の死神の能力値は、込められた霊圧量に比例するはず……ってことは、俺たちがこの刀に霊圧を込めれば込めるほど、力が戻ったあとの一護が強くなるってことですよ、隊長！」

ニッと笑う一角を見て、剣八は、「ヘッ、そういうことかよ……！」と口角《こうかく》を引きあげた。

「隊長命令だ！　全隊士に、時間が来たらここへ行くよう伝えろ！　それぞれはゴミみてえな霊圧でも、束《たば》になりゃ少しは足《た》しになんだろ」

「はい、隊長ッ!!」

「了解です、隊長！」

この隊長命令が欲しかったのだろう。二人は我が意を得たりと、競うようにして駆け出した。

「あたしもみんなにおっくろーっと！」

やちるは、剣八の背中に張りついたまま器用に文字を打ちこみ、女性死神協会のメンバーに向けて電子書簡を転送した。

「藍染《あいぜん》の野郎が取《と》っ捕《つか》まってから、クソつまんねぇ平和ってヤツが続いてたからな……一護に力が戻ったとなりゃ、何かデカイ戦いが起こるかもしれねぇ……！」

久々の戦闘の予感に、剣八の霊圧が、びりりと空気を震わせる。

「楽しみだねっ、剣ちゃん！」

その昂《たかぶ》りに答えるように、やちるもまた、ウキウキと胸を躍《おど》らせるのだった。

【更木隊・弓親です。鉄さんにも見てもらいたい電子書簡があるから、転送するよ。《転送：朽木ルキアです》】

【かいちょうだよ！　ルッキーのおてがみ、だいじだからみんなもよんでねー！　《転送：朽木ルキアです》】


五番隊隊舎《たいしゃ》・執務《しつむ》室《しつ》。

「あら……？」

ピロリロン、という着信音に、雛森桃《ひなもりもも》は仕事の手を止めた。

「なんやァ？　カレシからか？」

机に広げたファッション誌をパラパラとめくっていた平子真子《ひらこしんじ》が、顔を上げ、ニヤニヤと笑う。

「そうゆうのもセクハラなんやよ、真子」

平子の机に浅く腰かけ、成人向け雑誌を熟読《じゆくどく》していた矢胴丸《やどうまる》リサが、すかさず指摘する。

リサは、平子が注文したファッション誌を届けに来たついでに、ここで平子と世間話をしていたのだった。

「堂々とエロ本読んでるヤツにセクハラとか言われたないわ！」

「うるさい気が散る黙れ」

「お客様に向かってなんやその言い草ッ⁉　商売人がそんなんでええと思てんのか⁉」

平子はリサに人差し指を突きつけ、その横柄《おうへい》な態度を責《せ》め立《た》てる。

「客が一人減ったくらいで傾くような会社やないわ。文句あるんやったらもう届けにこおへんけど？」

リサは雑誌に視線を落としたまま、表情を変えずに言った。

「ぎぃぃいいぃ〜〜〜ッ!!」

「やめてください、お二人ともっ!」

雛森が席を立ち、二人の間に割って入る。

「これ、阿散井《あばらい》くんからなんですけど……隊長とリサさんも読んでみてください」

そう言って、平子に自分の伝令神機《でんれいしんき》を手渡した。平子の隣に移動し、リサも横から画面を覗《のぞ》きこむ。

「やるやんけ、ルキアちゃん……!」

平子は、ニィと口角《こうかく》を吊《つ》りあげ、雛森に伝令神機を返した。

「桃! このメール、オレにも転送せえ! ローズと拳西《けんせい》にも送るわ!」

「はい、隊長」

大きくうなずき、伝令神機を操作し始めた雛森の横を、リサが無言ですり抜ける。そのまま、何も告《つ》げずに執務室を出て行った。

「ちょっ! 待てやリサ!」

平子が慌《あわ》てて声をかけると、リサは廊下から、ヒョイッと顔だけを覗かせた。

「何？」

「何、て……もう帰るんか？」

「そう、帰る」

「帰るにしても、せめてなんかヒトコト言うてから帰らんかい！　しれーっとおらんようになったら、『なんでなんも言わんと帰ったんやろ……』て、残ったオレらが変な空気になるやろがッ！」

「ん？　ああ……ごめんごめん。準備のことで頭がいっぱいやったから……」

平子が、「準備？」と聞き返すと、リサは力強くうなずいた。

「死神が大勢集まるいうことは、新規顧客《こきゃく》の開拓と認知度アップのチャンスってことやからね！　……まずは、空鶴《くうかく》に頼んで屋敷にポスターを張らしてもらって……」

リサは、ブツブツと宣伝戦略をつぶやきながら、廊下を遠ざかっていった。

「商魂《しょうこん》たくましぃなァ……」

呆《あき》れ気味にそうつぶやくと、平子は雛森から送られてきた電子書簡を、ローズ、拳西、白《ましろ》の三人に転送した。

「……ほんで、桃。オマエはどないするつもりや？」

平子は伝令神機を机に置き、雛森を見た。雛森も、じっと自分を見つめ返している。

「ルキアちゃんもメールに書いとったけど、死神能力の譲渡《じょうと》は違法やからな……オマエが行かへんのやったら、オレが行くことは知らんかったコトに……」

「行きますよ。あたしも」

迷いのない雛森の目を見て、平子は少し意外に思った。

超がつくほど真面目《まじめ》な雛森のこと、理由はどうあれ、法を犯《おか》すようなことはしないと思っていたのだ。

雛森はそっと目を伏《ふ》せ、言う。

「『勿論《もちろん》、法律を遵守《じゅんしゅ》することは大切だ。でももし、自分が正しいと思うことを為《な》すために法が足枷《あしかせ》となるのなら、それは法が間違っているのかもしれない。法に縛《しば》られて、自分が為すべきことを見失ってはいけないよ』……藍染《あいぜん》隊長の言葉です」

それは、過去の偉人の言葉を引用するような、ごく自然な物言いだった。

微《かす》かに感傷的な色が混《ま》ざった表情ではあったが、十七か月前のことを思えば、彼女の精神的な成長は顕著《けんちょ》だった。

「ええこと言いよるのォ、アイツ……！　それ、どうにかしてオレが言うたことになれへん？　桃からみんなに広めてぇや！」

「もうっ！　何言ってるんですか！」

軽口を叩く平子を見て、雛森は朗《ほが》らかに笑う。

藍染の反乱後、雛森と接する際、誰もがそのことを連想させまいと気を遣《つか》った。しかし平子は、お構《かま》いなしに藍染のことに触れた。かといって故意《こい》にその話題を出すわけではなく、触れるべき流れの時に、避けることなく話題に上げる。無理のないその付き合いが、塞《ふさ》ぎこんでいた雛森の心を、時間をかけて解《と》きほぐしたのだった。

「さぁ、急いで仕事を始めましょう！　ほら隊長、もう雑誌はしまってください！」

「へーい。ほな、この特集だけ読んでから……」

再び雑誌を開いた平子に、雛森が、「没収しますよ？」と、にっこりほほ笑《え》む。

目が、まったく笑っていない。

「わかったわかった！」

平子は慌てて雑誌を引き出しにしまった。

「ホンマ、ウチの副隊長はクソ真面目で困るわァ……」

愚痴《ぐち》を言いつつ書類をめくり始めた平子の顔には、言葉とは裏腹に、楽しげな笑みが浮かんでいた。

【真子や！　すぐ読め！　リサにはもう伝わっとるから連絡不要やで！《転送：朽木ルキアです》】


三番隊隊舎《たいしゃ》・執務室《しつむしつ》。

「グッモーニーン」

ギターを片手にふらりと室内へ入ってきたローズこと鳳橋《おおとりばし》 楼十郎《ろうじゅうろう》は、目が合うなり、吉良《きら》イヅルに嫌《いや》な顔をされた。

「……遅刻ですよ、隊長」

イヅルが壁にかけられた時計を指《さ》す。始業開始から、既《すで》に四十分が経過していた。

「ゴメンゴメン、この子がなかなか放してくれなくてね……」

ローズはうっとりと目を閉じ、手にしていたアコースティックギターのネック部分を撫《な》でる。

「無機物に責任転嫁《てんか》しないでください」

ぴしゃりと言《い》い放《はな》つイヅルに、ローズは、「厳《きび》しいなぁー」と口を尖《とが》らせた。壁際《かべぎわ》にギターを立てかけ、机に着く。

「さーてと、書きかけの楽譜《がくふ》はどーこーかーなー？」

机に置かれた書類をバサバサとめくり、最近制作しているオリジナル曲の楽譜を探し始めた。

イヅルは、仕事に取りかかる気のないローズを見て深くため息を吐《つ》き、伝令神機《でんれいしんき》を手にして立ち上がった。

「それより、これを見てください」

ローズのほうに画面を向け、恋次《れんじ》から転送されてきたルキアの電子書簡を見せる。

楽譜探しの手を止め、最後まで目を通したローズは、「素晴らしい……！」と目を輝かせて席を立った。

先ほど壁に立てかけたばかりのギターを手にして、猛烈な勢いで演奏し始める。

イヅルは、「また始まった……」とうんざりした顔でつぶやき、伝令神機を懐《ふところ》にしまって席に戻った。

「一護《いちご》クンのために力を結集する護廷《ごてい》十三隊！」

力強い勇壮《ゆうそう》な調べが、部屋中に響《ひび》き渡《わた》る。

「立ちはだかる掟《おきて》……！　悩み惑《まど》う隊士たち……」

沈鬱《ちんうつ》な旋律《せんりつ》へと、曲調が一変する。

「負けない強い意志！　勝ち取る栄光！　最高のフィナーレ!!」

再び前向きな音に変わり、最後は弦《げん》が切れそうなほど強くギターを掻《か》き鳴《な》らした。

「どうだった、イヅル⁉　今のサイコーだっただろう⁉　今世紀最高の傑作を作ってしまったかもしれないな、ボクは……!!」

興奮しているローズに、イヅルが無表情で言う。

「はい最高でした最高でしたがここで楽器を弾《ひ》くのはやめると約束してくださいましたよね隊長？　そのことを思い出して今後弾かないでくださるなら更《さら》に最高です」

「……ノーブレスで言うのはやめてくれよ……怖《こわ》いよイヅル……もう弾かないから……音楽の神様がほほ笑《え》んだ時以外は弾かないから……！」

イヅルは、（ああ、この人またすぐに弾くな……）と思いつつも、「それなら結構です」と仕方なく態度を軟化させた。

「ボクから音楽を遠ざけるなんて、罪深《つみぶか》いにもほどがあるよ……」

ブツブツと文句を言いながらギターを壁際に戻したローズは、腰紐《こしひも》の間に挟《はさ》んであった伝令神機を取り出し、席に着いた。

「あ！　ボクにも真子《しんじ》から同じメール、届いてた！」

着信した時刻は、三十分ほど前。ちょうど、出勤前にギターを弾いていた時刻だった。

演奏に夢中で着信音に気づかなかったらしい。

「ボク以外にも、拳西《けんせい》と白《ましろ》に送ってる……これって、みんなが自分のトモダチにメールを転送していってるのかな？」

「そうだと思いますよ。僕に送ってくれた阿散井《あばらい》くんも、僕と雛森《ひなもり》さんに同報で送ってきてますから」

「イヅルは誰かに転送しないの？」

ローズに問われ、イヅルは顎《あご》に軽く手を当ててうつむいた。

「僕がお願いできそうな人には、もう誰かが送ってるだろうし……いや、もしかしたら、檜佐木《ひさぎ》先輩には誰も送ってないかも……」

「檜佐木クンって、あの頬《ほお》に刺青《いれずみ》のある子？　拳西のトコの」

「ええ。九番隊の副隊長です」

「いつもわりとみんなの輪の中にいるじゃない？　誰か送ってそうだけど……」

「みんながそう思って、結局誰からも送られてこないのが、檜佐木先輩なんですよ」

イヅルの読みは鋭かった。

実際、恋次は乱菊《らんぎく》が、乱菊は恋次が、一角《いっかく》と弓親《ゆみちか》は恋次か乱菊のどちらかが転送するだろうと思っており、まだ誰も檜佐木に電子書簡を送っていなかったのだ。

「ふーん？　なんだかカワイソウな子だねぇ」

「はい。何かと可哀想《かわいそう》な人なんです」

さらっと失礼なことを言いつつ、イヅルは檜佐木に電子書簡を転送した。

「で？」

「『で？』……とは？」

「イヅルは行くのか、ってこと！」

「勿論《もちろん》、行きますよ」

イヅルの返答には、一切《いっさい》の躊躇《ちゅうちょ》もなかった。

「即答とはね！　カッコイイじゃない！」

ローズは茶化すように、ピュウ、と短く口笛を吹いた。

「よしてください。僕の場合、そんな前向きな気持ちじゃないですから……彼に犠牲《ぎせい》を強《し》いてしまった自分の罪悪感を、少しでも軽くしたいだけなんです。それに……」

「それに？」

「……彼は、市丸《いちまる》隊長の最期《さいご》を見届けてくれた人でもあるので」

市丸ギンの墓は、乱菊とギンが出会った地である東流魂街《ひがしルコンがい》六十二地区花枯《かがらし》に、乱菊の私財を投じて建てられた。彼の行動は結果善であり、その過程でおこなわれたことは紛《まぎ》れもなく悪であったとして、瀞霊廷《せいれいてい》内に墓を作ることは許されなかったのだ。

イヅルはその墓前で、乱菊からギンの最期について聞かされた。

彼は、無月《むげつ》を会得《えとく》した一護を見、静穏《せいおん》な目をして息を引き取った――と。

畏敬《いけい》の念を抱《いだ》いていた上官が、絶望のうちに死したのではないと知り、自分の心も救われたように思えたのだった。

憂《うれ》いに満ちたイヅルの横顔に、ローズの中の創作意欲が、むくむくと沸《わ》きあがってくる。

「じゃあ、早く仕事を終わらせなきゃね！」

（そして作曲活動を再開しなきゃね！）

無論、本心のほうは、口に出さなかった。

そんなこととは知らず、イヅルは珍しくやる気になっているローズを頼もしく思いながら、「そうですね、急ぎましょう！」と仕事を再開した。

【吉良です。十三番隊の朽木《くちき》さんからの電子書簡を転送します。もうどなたかから同じ文面が送られてきているかもしれませんが、念の為《ため》、僕からも。《転送：朽木ルキアです》】


八番隊隊舎《たいしゃ》・執務《しつむ》室《しつ》。

伊勢《いせ》七緒《ななお》が黙々と仕事をしているところへ、朝の巡回を終えた京楽春水《きょうらくしゅんすい》が戻ってきた。

京楽は、毎朝端《はし》から端まで隊の敷地を見回り、できるだけ多くの隊士と挨拶《あいさつ》を交《か》わすことにしていた。そこで元気のない隊士を見つけると、終業後に飲み屋へ誘って酒を酌《く》み交《か》わし、心が晴れるまで愚痴《ぐち》や不満を吐《は》き出《だ》させているのだった。

「七緒ちゃん、ルキアちゃんからの書簡、読んだ？」

入ってくるなり、七緒のそばへ直行する。

「ええ。ついさっき、会長……草鹿《くさじし》副隊長からも、同じ内容の電子書簡が届いたところです」

七緒は筆を置き、机の端に置いてある自分の伝令神機《でんれいしんき》を指した。

「ふ～ん？　みんなが知り合いに回していってるのかなぁ？」

「そのようですね」

「それじゃあ、ボクも浮竹《うきたけ》に送ろーっと！」

ポチポチと文章を打ち始めた京楽を、七緒が慌《あわ》てて制す。

「待ってください、隊長！　いいんですか⁉　黒崎一護《くろさきいちご》さんを救うのが目的とはいえ、これは重罪なんですよ……⁉」

京楽は、身を乗り出した七緒を、まぁまぁ、となだめた。

「情報を伝えるだけなんだから、いいじゃないの。それを実際にやるかやらないかは、各々《おのおの》が決めればいいことだよ」

「それは……そうですが……」

「はい、送信っと！」

京楽は伝令神機を懐《ふところ》に入れると、肩に羽織《はお》った打掛《うちかけ》をふわりとなびかせ、自分の仕事机に着いた。

「それで……隊長はどうなさるおつもりですか？」

「ンフフー、どうしようかねぇー？　そういう七緒ちゃんはどうするの？」

組んだ両手の上に顎《あご》を乗せて、京楽が尋《たず》ねる。

「わたしは……」

七緒は一度言いよどみ、数秒の間、沈黙した。京楽は急《せ》かすことなく、穏《おだ》やかな瞳《ひとみ》で次の言葉を待つ。

ほどなくして、七緒はそらしていた視線を戻し、意を決したように言った。

「わたしは、行きます」

その返答に、京楽が少しだけ目を見開く。

七緒は再びうつむき、自分の胸にそっと手を当てた。

「わたし、ずっと引っかかっていたんです……今のこの平穏《へいおん》な生活は、彼が多大な犠牲《ぎせい》を払って成《な》してくれたものなのに、わたしからはなんのお礼もできないんだろうか……って。あの戦いが終わってから……いつもなんとなく、心苦しかったんです……」

一生懸命に自分の思いを話す七緒を、京楽は目を細めて見つめていた。

「……隊長、もしこれで、わたしが副隊長を外《はず》されるようなことになったら……」

「大丈夫だよ」

断言する京楽の顔を、え？　と七緒が見つめ返す。

「そんなことにはならないさ。ちょうどボクも今そう思ったところだったんだぁ……」

余程《よほど》確信があるのか、京楽の目に不安の色はない。

「……はい、隊長」

七緒は、そんな京楽を見てフッと肩の力を抜き、中断していた仕事を再開した。

「ねぇ七緒ちゃん？　ボクちょっと行きたいところがあるから、今日の仕事、明日《あした》に回しても……」

「駄目《だめ》です」

即答だった。

「だよねぇ……ごめんなさいやります……」

うず高く積まれた書類を見つめて、京楽は盛大にため息を吐《つ》いた。


【具合はどうだい、浮竹？　ルキアちゃんが楽しそうなことやってるみたいだよ。山じいはどう動くかな？　ボクはね、今の山じいなら、いい方向にことが進むんじゃないかと思うんだ。進言するつもりなら、ボクにも声をかけてくれ。一人で行くよりは心強いだろう？　京楽春水《転送：朽木ルキアです》】

七番隊隊舎《たいしゃ》。

七番隊副隊長・射場《いば》鉄左衛門《てつざえもん》は、同隊隊長・狛村左陣《こまむらさじん》を捜《さが》して隊舎を駆《か》け巡《めぐ》っていた。

狛村は朝のこの時間、隊舎裏で飼っている犬の五郎《ごろう》を散歩させながら、隊の各所を回って前日の業務報告書を回収している。他隊では各隊士が執務室《しつむしつ》まで届けることになっているのだが、散歩のついでだからと、狛村自身がこれを提案したのだった。

射場は、

「隊長なら先ほど中庭でお見かけしましたよ！」

と言われれば中庭へ走り、

「あー、ちょっと遅かったですね……もう行ってしまわれました」

と言われれば、他の場所へ急いだ。

それを何度も繰《く》り返《かえ》し、彼がようやく追いついたのは、狛村が報告書の回収と散歩を終え、隊舎裏の五郎の小屋の前へ戻った時だった。

「どうした、鉄左衛門？　今日は非番ではなかったのか？」

トレードマークのサングラスがずれるほど、ゼェゼェと肩で息をしている射場を見て、狛村は小首をかしげた。

「どうっ…してもっ……隊っ…長にっ……ご報っ…告っ…したいっ……ことがっ……」

「……息が整《ととの》うまで、そこに少し座っておれ」

狛村はそう言って、小屋の脇《わき》にある木製の長椅子《ながいす》を指す。それは、狛村がここに座って五郎と遊べるようにと、射場が日曜大工でこしらえたものだった。

「そげんっ……言われましっ…てもっ……隊長をっ…差し置いてっ……！」

「儂《わし》も座ろう。それならよいな？」

狛村は先に長椅子に腰かけ、射場に隣に座るよううながした。ビシッと礼をしてから、射場も座る。

深呼吸を繰り返す射場の足元に、五郎がちょこんと座り、ワンワンと鳴きかけた。動物の言葉がわかる狛村が、その鳴き声を聞いてクックッと笑う。

「やめないか、五郎。鉄左衛門は非番だったのだ。何も持っておらぬよ」

「今のは……何と……？」

問われた狛村は、身を屈《かが》めて五郎の頭を撫《な》でながら言った。

「〝今日は何を持ってきてくれたのか〟とお前に訊《き》いていたのだ。〝鉄左衛門はいつも食べ物をくれる〟と言っているぞ」

「そうでしたか……すまんの、五郎！　今日は手ぶらなんじゃ」

射場が両手を広げて何も持っていないことを伝えると、五郎は残念そうにクゥンと鳴き、狛村の足元にゴロンと寝そべった。

「嫌われてしまいましたかのう……」

「気に病《や》むことはない。散歩のあとはいつもこうなのだ」

五郎は、白い毛並みに春の日差しを浴びて、実に心地よさそうに体を伸ばしている。

「どうだ、鉄左衛門？　呼吸は落ち着いたか？」

「はい！　お手間を取らせて申《もう》し訳《わけ》ありやせんでした！　実は、隊長に見ていただきたいものがありまして……」

射場は懐《ふところ》から伝令神機《でんれいしんき》を取り出し、弓親《ゆみちか》から転送されてきた電子書簡を画面に表示した。

それを両手で持ち、「どうぞ」と頭を下げて狛村に差し出す。

狛村は黙したまま最後まで目を通すと、ふむ、と一度うなずき、伝令神機を返した。

「鉄左衛門、儂は……」

「隊長は何もおっしゃらんといてください!!」

射場はキビキビとした動きで長椅子を下り、狛村の正面に両膝《りょうひざ》を着いて、地面に正座した。そのすぐ脇にごろりと寝そべっている五郎が、不思議そうに射場を見上げる。

「隊長、わしゃーここへ行こう思いよります。黒崎一護《くろさきいちご》には大恩《たいおん》がありますけぇ、それを返さず生きていくゆうんは、わしが思う男の道から外《はず》れるゆうことなんです!」

射場が掟《おきて》よりも大切にしたいもの。

それは、男としての生《い》き様《ざま》だった。

「ただ、隊長に無断でここへ行くちゅうことは、隊長の信頼を裏切るんと同じじゃと思いました……わしの身勝手な考えに隊長を巻きこんでしもうて、ホンマにすいません!! わしが今言うたことも、電子書簡のことも、なんも見聞きせんかったことにしてつかあさい! どうか! どうかお願いしやす……!!」

射場は平身低頭し、地面に額《ひたい》をこすりつけた。五郎が心配そうにその頰《ほお》を舐《な》め、ワンワンッ、と狛村に向かって鳴く。

「五郎が、〝どうしたのか〟と心配しておる。顔を上げよ、鉄左衛門」

射場が頭を上げると、五郎が体の下に潜《もぐ》りこみ、正座した射場の膝に両前脚《まえあし》を乗せた。サングラス越しに射場の目を見て、数回鳴く。

「〝怒られているなら、いっしょに謝《あやま》ってやる〟と」

狛村が翻訳《ほんやく》し、フフッ、と笑《わら》い含《ふく》みの息を漏《も》らした。射場は困ったように笑い、「ありがとうな」と五郎の頭を撫でる。

狛村は腕組みをし、空を仰《あお》いで言った。

「儂が掟を護《まも》るのは、元柳斎殿《げんりゅうさいどの》にかけていただいた恩義に報《むく》いるためだと、何度もお前に話したな？」

「……はい、重々心得とりやす」

「儂はな、鉄左衛門。尊敬してやまぬ元柳斎殿が、受けた恩を蔑《ないがし》ろにするような御方《おかた》だとは、到底思えぬのだ……たとえそれが、掟に背《そむ》く行いであったとしてもな……」

春空から視線を戻した狛村は、真《ま》っ直《す》ぐに前を向いたまま目を閉じた。ぴるぴると忙《せわ》しなく両耳を動かしながら、何事かを思案している。

ワンッ、と五郎が一声《ひとこえ》鳴くと、それが合図だったように、狛村が目を開いた。

「その電子書簡、儂に預けてはもらえぬだろうか？　今のままでは、儂が黒崎一護に霊圧《れいあつ》を分けることは叶《かな》わぬが、元柳斎殿が是《ぜ》とすれば、儂も存分に力を注《そそ》ぐことができる……あの少年の力になりたいという思いは、儂とて同じなのだ……」

「隊長……！」

射場は、感極《きわ》まって言葉を詰《つ》まらせた。抑《おさ》えても抑えても、こみあげてくるものがある。涙の気配を感じ取ったのか、五郎がまたぺろぺろと頬を舐めた。

サングラスを額まで上げ、死覇装《しはくしょう》の袖《そで》でゴシゴシと目元を拭《ぬぐ》った射場は、「お願いしやすッ!!」と、自分の伝令神機を差し出した。


九番隊隊舎《たいしゃ》・瀞霊廷《せいれいてい》通信編集所。

『瀞霊廷通信』の編集・発行を手がける九番隊の敷地には、隊舎とは別に、瀞霊廷通信編集所という二階建ての建物がある。そこは、一階部分が印刷所、二階部分が編集部になっており、二階で作った原稿をすぐに印刷し、発行することができるようになっていた。

平子《ひらこ》から送られてきた電子書簡に目を通した六車拳西《むぐるまけんせい》は、執務《しつむ》室《しつ》をあとにし、瀞霊廷通信編集部へと向かった。

編集部の入口にある編集部員の行動予定が書きこまれた黒板を見て、檜佐木修兵《ひさぎしゅうへい》の在室を確認する。

拳西が一歩足を踏み入れると、そこは戦場だった。

「この見出し考えたの誰だよ⁉　くそダセェわ‼　やりなおせッ‼」

「ちょっ……この特集、ページ数間違ってない⁉　一枚足《た》りないよ⁉」

「通販目録上がりましたァッ‼」

「誰か京楽《きょうらく》隊長のところに原稿取りに行って来い‼」

今日の午后《ごご》五時が校了時刻のため、皆殺気立っている。

拳西は、邪魔《じゃま》にならぬよう壁際《かべぎわ》を歩き、最奥に位置する編集長室を目指《めざ》した。拳西が就《しゅう》任《にん》を拒否し続けているため、今も編集長業務は檜佐木が代行している。その代わりに、校了前の副隊長業務はすべて拳西が請《う》け負《お》うことで、どうにかバランスを保《たも》っているのだった。

「入るぞ、修兵」

ノックもせずに扉を開けると、各班から上がってきた原稿を猛烈な勢いでチェックしていた檜佐木が、バッと顔を上げた。

「隊長……！　どうされました？　もしや、ようやく編集長に就《つ》いてくださる気に……」

「なってねぇ。一生やらねぇって言ってんだろ！　しつけぇんだよてめぇは！」

「そう…ですか……一生ですか……」

檜佐木は力なく笑い、再び原稿をチェックし始める。

「それで、ご用件は？　俺、今動けませんよ？」

「そんなこたぁわかってる。白《ましろ》を捜《さが》してんだが、居場所を知らねぇか？　デンワしても出ねぇんだ」

そう言って伝令神機《でんれいしんき》を取り出し、再度白に通話発信してみる。

すると、ものすごく近い場所から、プルルルルル、と着信音が聞こえてきた。

「白さんは、ついさっき原稿を上げたところで……」

檜佐木が指《さ》した先には長椅子《ながいす》があり、そこには毛布の塊《かたまり》がのっている。着信音は、間違いなくその塊から発せられていた。

「おい、白！」

拳西が毛布を剝《は》ぎ取《と》ると、膝《ひざ》を抱《かか》えるようにして体を丸め、白が眠っていた。すぴーすぴーと気持ち良さそうに寝息を立てている。

「そうなると、しばらくは何しても起きませんよ？」

「知ってる。嫌《いや》ってほどな……」

拳西はうんざりした顔をして、白に毛布をかけ直した。

「こいつが起きたら、すぐに真子《しんじ》からのメールを確認するよう言ってくれ」

「メール……って、電子書簡のことですよね？　何かあったんですか……？」

檜佐木が問うと、拳西は意外そうに片眉《かたまゆ》を上げた。

「なんだよ？　お前、誰からも送られてきてねぇのか？」

言って、例の電子書簡を表示した画面を見せる。

檜佐木はわなわなと肩を震わせ、「初見です……！」と吐《は》き出《だ》すように言った。

「……友達いねぇんだな」

憐《あわ》れむような目をしてボソッとつぶやき、拳西は編集長室を出ていった。

「うぐぅッ……！」

檜佐木は下唇《したくちびる》を強く嚙《か》み締《し》め、必死で涙をこらえながら、にじむ視界で原稿のチェックを続けるのだった。

——その数十分後、イヅルから転送されてきた電子書簡を見て、檜佐木は人知れず涙を流したという。


西流魂街《にしルコンがい》第一地区・潤林安《じゅんりんあん》。

志波空鶴邸《しばくうかくてい》では、死神能力譲渡《じょうと》会の準備が着々と進行していた。

あまり人目につかぬようにと、屋敷の裏にそびえ立つ巨大な花火台・花鶴大砲《かかくたいほう》の台座部分に、力の器《うつわ》となる刀が設置された。

刀の周囲には、霊圧《れいあつ》を完全に遮断《しゃだん》する布でできた小型の天幕が張られることになっており、今はその設営の真っ最中だった。

「何故《なぜ》私がこんなことの手伝いを……！」

二番隊隊長・砕蜂《ソイフォン》が、骨組みに布をくくりつけながら不満を漏《も》らす。その対角線上で同じ作業をおこなっていた四楓院夜一《しほういんよるいち》が、砕蜂を振り返った。

「だから言ったじゃろ？　今日はいつもの散歩ではないぞ、とな……それでも『ついて行く！』と言って聞かなかったのは、おぬしじゃぞ？」

「それは……！」

「んん～？　違ったかのう～？」

「そう……ですが……」

ふてくされたように頬《ほお》をふくらませる砕蜂を見て、夜一は、「フハハッ！」と吹き出し、ぐりぐりと雑にその頭を撫《な》でた。

「からかうのはこのくらいにしておいてやろう！　……今からでも遅くはあるまい。おぬしは隊舎《たいしゃ》へ戻れ、砕蜂」

「夜一様……！　何故急にそんな……!?」

戸惑《とまど》う砕蜂に、夜一が穏《おだ》やかに語りかける。

「おぬしは、法により裁《さば》かれた者に刑を執行する、刑軍《けいぐん》の長なのじゃぞ？　刑軍は、隠密《おんみつ》機動《きどう》の最高位……軍団長自《みずか》ら、その格を落とすような振る舞いをすべきではない。わかるな、砕蜂？」

「しかし……！」

夜一は、なおも食い下がろうとする砕蜂の後《うし》ろ襟《えり》をつかみ、ズルズルと引きずって天幕の外へ出た。

「どうです？　終わりましたかァ？」

外で作業をしていた浦原《うらはら》が、二人を見て尋《たず》ねる。

「ああ！　今砕蜂を帰すところじゃ！」

「夜一様！　私は一言《ひとこと》も帰るなどとは……！」

夜一に襟をつかまれたまま、砕蜂が必死で反論する。

「そッスよねぇ……刑軍の統括《とうかつ》軍団長サンが、こんなトコにいちゃいけませんよねぇ」

「貴様は喋《しゃべ》るなッ!!　私は絶対に帰りません!!　夜一様とこの闇商人《やみしょうにん》を二人きりにするなど……！」

少し離れた高台で真っ昼間から酒を飲んでいた空鶴が、「おーい！　おれもいるぜー！」とからかうように言った。お酌《しゃく》をさせられている弟の志波岩鷲《ガンジュ》が、「俺も忘れんなよー！」とつけ足《た》し、「耳元でデケェ声出すんじゃねぇ！」と空鶴に蹴《け》っ飛《と》ばされた。

「闇商人、ですか……一応アタシの罪《つみ》も不問になったんスけどねぇ……」

「黙れこの……ッ!!」

「コラコラ！　よさぬか、砕蜂」

浦原に飛びかかろうとする砕蜂を押さえ、夜一が苦笑する。

「夜一様、お放しくださいッ!!」

ジタバタともがく砕蜂の懐《ふところ》で、ピロリロン、と着信音が鳴った。

夜一は躊躇《ちゅうちょ》なくその懐に手を突っこみ、「ひゃわわわぁあッ!?」と叫ぶ砕蜂を無視して、ゴソゴソと手を動かす。

「ん？　これか？」

伝令神機《でんれいしんき》を取り出し、つかんでいた後ろ襟を放すと、砕蜂は崩《くず》れるようにしてその場にへたりこんだ。

「うわぁ……」

一部始終を見ていた浦原は、夜一のあまりのガサツさに、完全に引いていた。

「ほれ！　何か重要な連絡かもしれぬぞ？」

夜一は、そう言ってしゃがみこみ、砕蜂に伝令神機を差し出す。真《ま》っ赤《か》な顔をしてそれを受け取った砕蜂は、やちるから転送されてきた電子書簡を読み、サッと顔色を変えた。

「夜一様、これを……！」

転送書簡の宛先欄《あてさきらん》を表示し、夜一に差し出す。

送信先の中には、【涅《くろつち》ネム】の名があった。

「まずいことになりそうじゃの……」

夜一は眉《まゆ》をひそめ、画面を浦原に見せる。

「そっスね……」

浦原も同様に、波乱を覚悟するのだった。


十二番隊隊舎《たいしゃ》・副官室。

部屋の中央に設置された鋼鉄製の寝台に、一糸《いっし》まとわぬ姿で、十二番隊副隊長・涅《くろつち》ネムが横たわっていた。

その体中から無数のコードやチューブが伸びており、それぞれが壁際《かべぎわ》にずらりと並んだ大型の機械に接続されている。部屋全体に、虫の羽音に似た機械の作動音が響《ひび》いていた。

「フム……随分《ずいぶん》と消耗《しょうもう》が激しいネ……」

涅マユリは、ディスプレイとキーボードが埋《う》めこまれた機械の前に座り、表示された映像を見て興味深げにつぶやいた。

各隊に設《もう》けられた副官室は、本来であれば、その隊の副隊長が私室として使用できることになっている。しかし、ネムはマユリが義骸《ぎがい》技術と義魂《ぎこん》技術の粋《すい》を結集して創《つく》りあげた人造死神であるため、副官室はマユリの手により、ネムのメンテナンスルームとして改造されていた。

「……ナルホド」

目を見開き、高速でキーボードを叩《たた》くマユリの背後で、ピロリロン、と電子書簡の着信音が鳴り響いた。

「チッ！　なんなのかネ⁉」

舌打ちをして椅子《いす》から立ちあがり、床に放り出してあったネムの衣服の中から伝令神機《でんれいしんき》を拾いあげる。

それは、やちるが女性死神協会のメンバーに向けて一斉《いっせい》送信した、ルキアからの電子書簡だった。

「コレはコレは……！　総隊長にご報告しないワケにはいかないネ……」

マユリはぎょろりと目を剝《む》き、クククッと笑いながら、椅子の背にかけてあった隊首羽織《たいしゅば》《おり》を身にまとった。

「さっさと起きないか、ネム！」

寝台の上部についている赤いスイッチを押すと、パリッ、とネムの全身に微弱な電気が流れ、パッとまぶたが開いた。

「おはよう……ございます、マユリ様」

「変更値は入力しておいてやったヨ！　あとは自分でできるだろう⁉」

「はい。感謝します、マユリ様……どちらかへお出かけですか？」

いそいそと部屋を出ていくマユリに、ネムが問いかける。

「チョットご注進にネ……」

マユリは、ニタァ、と口を歪《ゆが》めて笑い、隊舎をあとにした。


一番隊隊舎《たいしゃ》前。

浮竹十四郎《うきたけじゅうしろう》は、目指《めざ》す隊舎の前に先客がいるのを見て、目を丸くした。

「狛村《こまむら》隊長……？」

近づくにつれ、狛村の巨体の陰《かげ》になって見えなかったもう一人の姿も確認できた。

「涅《くろつち》隊長も！」

名を呼ばれたマユリが、フン、と不機嫌《ふきげん》そうに鼻を鳴らす。

浮竹は、京楽《きょうらく》から転送されてきた電子書簡を読み終えると、すぐに一番隊隊舎へ赴《おもむ》いた。

移動中、京楽にも連絡を入れたのだが、今日締め切《しき》りの『瀞霊廷通信《せいれいていつうしん》』の原稿が終わっていなかったことを七緒にこっぴどく叱られた直後だったため、どうしても抜け出すことができなかったのだった。

「どうしたんだい、二人共⁉」

驚く浮竹に、狛村は射場《いば》から預かった伝令神機《でんれいしんき》を見せた。

「皆これを手にしているということは、要件は同じようだな……」

確かに、浮竹とマユリも伝令神機を握《にぎ》りしめていた。

「そうだったのか……しかし、ここは俺に任《まか》せてもらえないだろうか？　朽木《くちき》はうちの副官だからな……」

「おやおや！　隊長位にありながら、犯罪行為を煽《あお》る者をかばうつもりかネ？」

マユリは大袈裟《おおげさ》に顔を顰《しか》め、愉《たの》しげに浮竹を責《せ》め立《た》てる。

「……確かに、これは掟《おきて》を破る行為だが……俺には朽木が間違っているとは思えない。隊長として、できるだけ力になってやりたいんだ……」

苦悩する浮竹に、マユリが更《さら》なる非難を浴びせようと口を開いた時、隊舎の扉が開き、山本元柳斎重國《やまもとげんりゅうさいしげくに》が姿を現した。その背後には、一番隊副隊長・雀部長次郎《ささきべちょうじろう》が影のようにつき従っている。

「珍しい組み合わせじゃのう……」

執務《しつむ》中だった元柳斎は、隊舎前に隊長格の霊圧《れいあつ》を感じ、自《みずか》ら様子を見にやってきたのだった。

「隊長が三人も揃《そろ》うて……一体何事じゃ？」

ゆるりと顎《あご》ひげを撫《な》でつつ、問う。

「元柳斎先生、実はうちの副官が……」

浮竹が一歩前に出て話し始めると同時に、ビビーッ、ビビーッ、と彼の伝令神機がけたたましい音を立てた。

「なんじゃ……⁉」

元柳斎が片眉《かたまゆ》を吊《つ》りあげる。浮竹が慌《あわ》てて画面を見ると、【緊急通信】という文字がディスプレイいっぱいに表示されていた。

「早《はよ》う出んか」

元柳斎にうながされ、浮竹は通話ボタンを押した。

『十三番隊隊長・浮竹十四郎様に報告！　黒崎一護《くろさきいちご》の死神代行戦闘許可証に、先の死神代行が接触した徴候《ちょうこう》有り！　至急、技術開発局内・霊波計測研究科へお越しください！』

「……わかった！　すぐに向かう！」

浮竹の通話中に、マユリにも同様の緊急通信が入った。

「増員して詳細《しょうさい》に観測を続けロ！　ワタシもすぐに戻るヨ」

通話を終えた二人が、顔を見合わせる。マユリは、「同じ報告だったようだネ……」と目を細めた。

「緊急案件なので失礼させていただくヨ、総隊長」

マユリは恭《うやうや》しくお辞儀をし、瞬歩《しゅんぽ》でその場を去った。

「俺も失礼します、元柳斎先生！　のちほどご報告に参《まい》ります！」

浮竹も深く頭を下げてから、くるりと踵《きびす》を返す。

狛村の横を通り抜ける際、浮竹は、ちらと狛村を見あげた。

「一護くんの件、任せてもいいかい？」

「……承知した」

ごく短いやり取りを交《か》わしたあと、浮竹も瞬歩で消えた。

「……では、中で説明してもらおうかのう。狛村や」

雀部が先行して扉を開け、元柳斎が隊舎へ戻っていく。

「仰《おお》せのままに」

狛村は表情を引《ひ》き締《し》め、そのあとに続いた。

The Death Save
The Strawberry

6

夕暮れの鮮《あざ》やかな橙《だいだい》の中を、細い雲が流れていく。

カンカーン、カンカーン、カンカーン……。

瀞霊廷《せいれいてい》に、終業を報《しら》せる鐘《かね》の音《ね》が鳴り渡った。

志波空鶴邸《しばくうかくてい》には、既《すで》に数多くの死神が集《つど》い、順に霊圧《れいあつ》の注入を始めていた。

最初に到着したのは、卯ノ花《うのはな》が終業時刻を早めた四番隊の隊士たちだった。その後、電子書簡を読んで早めに業務を片づけてきた各隊の隊士たちが徐々に集まっていき、終業時刻を過ぎるころには長い行列ができていた。

理吉《りきち》が転送した電子書簡は、隊の垣根を越えて広まり、多くの一般隊士をここへ呼び寄せたのだった。

「現世《げんせ》の書籍に興味はありませんかー？　どんな書籍も取り寄せますよー！　情報漏洩《ろうえい》の心配は一切《いっさい》なーし！　ＹＤＭ書籍販売をぜひご利用くださーい！」

集まった隊士に向けて、リサが無表情のまま、声だけは愛想《あいそ》よくビラを配っている。空鶴邸の外壁にはＹＤＭ書籍販売の巨大なポスターが何枚も張られており、認知度はグングン上昇していた。

「最後尾《さいこうび》はここですぞー！」

「前の方に続いてお進みくださーい！」

志波家の家臣である金彦《こがねひこ》と銀彦《しろがねひこ》が、声を張りあげて行列を整理している。

何事かと様子を見に来た流魂街《ルコンがい》の住人たちが、死神相手に飲み物や菓子を売り始め、志波家周辺はちょっとした祭りの様相を呈《てい》していた。

最前列。

「いやー、朽木《くちき》サン！　頑張りましたねぇ！」

刀の天幕の脇《わき》で、浦原《うらはら》が驚嘆《きょうたん》の声をあげた。

「私も、まさかこれ程《ほど》広がるとは思ってもみなかった……！」

駆けつけたルキアも、人の多さに気圧《けお》されているようだった。

「……どのような形にしろ、涅《くろつち》マユリの邪魔《じゃま》が入るのは目に見えておる。霊圧の注入を急がせたほうがよいじゃろう」

夜一《よるいち》の意見に、二人もうなずく。

「お並びの皆サーン！　霊圧は、じわじわと長く、ではなく、どーんと短時間で注入してくださーい！　どうかヨロシクお願いしますー！」

現世から持参した拡声器を使い、浦原が行列に向かって呼びかける。その甲斐《かい》あって、列の進むスピードは格段に速くなった。

「これなら、思ったより早く終わりそうっスね」

浦原がホッと息を吐《は》く。そうだな、とうなずいて列の最後尾に目をやったルキアは、何か黒いひらひらしたものが、こちらへ向かって飛んできていることに気づいた。

「あれは……！」

「……どうやら、嗅《か》ぎつけられたようじゃの」

目を細め、夜一がつぶやく。

それは、死神同士の伝令に使用される、地獄蝶《じごくちょう》の群れだった。

〝緊急招集。各隊隊長・副隊長は、即時一番隊隊舎《たいしゃ》に集合。尚《なお》、浦原喜助《きすけ》は件《くだん》の刀を隊首《たいしゅ》会議場へ運び入れるように〟

地獄蝶は、その場に居合わせた隊長・副隊長たちの周囲を舞い、皆に同様の伝令を届けた。

役目を果たすと、再び一つの群れとなり、一斉《いっせい》に瀞霊廷へと戻っていく。

「喜助に刀を運び入れさせるということは、頭ごなしに罰《ばっ》するつもりはないということじゃろうな……総隊長殿《どの》も、お変わりになられたものじゃ……」

夜一は、晴れ晴れとした顔で空を仰《あお》いだ。

――変わったのではない。

護廷《ごてい》十三隊すべての死神が、変えられたのだ。

黒崎一護《くろさきいちご》の数々の行いが、掟《おきて》に縛《しば》られてきた皆の心を揺り動かしたのだ――。

「それじゃ、急ぎましょう！　総隊長をお待たせしちゃいけませんから！」

言った浦原の顔にも、晴れやかな笑《え》みが浮かんでいた。

7

一番隊隊舎《たいしゃ》・隊首《たいしゅ》会議場。

元柳斎《げんりゅうさい》を最奥に、各隊の隊長・副隊長が居並ぶ中、浦原《うらはら》は運びこんだ刀について、詳細《しょうさい》に説明をした。

すべてを聞き終えた元柳斎は、「……事情は相分《あいわ》かった」と一つうなずき、一同を見やる。

「先刻、涅《くろつち》、浮竹《うきたけ》、両隊長より、初代死神代行が黒崎一護《くろさきいちご》に接触したとの報告を受けた」

「初代死神代行……銀城空吾《ぎんじょうくうご》か！」

日番谷《ひつがや》がその名を口にすると、場の空気が、一気に張《は》り詰《つ》めた。

「黒崎一護が、ようやくエサとしての役割を果たしたということだネ……」

マユリの視線は、浮竹に向けられている。

浮竹は黙したまま、悲しげな目をして、深くうつむいた。

「銀城空吾が接触してきた以上、最早《もはや》一刻も無駄《むだ》には出来まい……その刀を持って寄れ！

浦原喜助《きすけ》！」

元柳斎の言葉に、卯ノ花《うのはな》が目を見開く。

「総隊長、それでは……！」

「……形はどうあれ、我等《われら》は黒崎一護に救われた。今度はその黒崎一護を、我等が救う番じゃ。縦《たと》え仕来《しきた》りに背《そむ》こうと、ここで恩義を踏《ふ》み躙《にじ》れば、護廷《ごてい》十三隊永代《えいたい》の恥となろう」

元柳斎はそこで言葉を切り、一歩、足を踏み出した。

一人一人の顔を見回し、高らかに言う。

「総隊長命令である！　護廷十三隊全隊長・副隊長は、全《すべ》てこの刀に霊圧《れいあつ》を込めよ！」

威厳《いげん》に満ちた元柳斎の声が、しんと静まった議場に響《ひび》き渡《わた》った。

「……儂《わし》の命を待たずして、既《すで》に数多くの死神が霊圧を込めたとの報告を受けておるが……此度《こたび》に限り、罪《つみ》には問うまい」

その裁定に、今まで身を固くしていた数名が、ホッと息を吐《は》く。マユリは浦原を睨《にら》みつけ、その場の誰もが聞きとれるような大きさで、ギリギリと歯ぎしりをした。

「よいか、浦原喜助！　必ずや、黒崎一護に死神の力を取り戻させよ！」

浦原は顔を上げ、真《ま》っ直《す》ぐに元柳斎を見つめた。

静かに自分を見返しているその瞳《ひとみ》には、浦原に対する確かな信頼があった。

「はい、必ず……！」

こみあげてくる感情を抑《おさ》えるように、浦原は、深くこうべを垂《た》れた。

「これは、貴様の為《ため》に浦原が用意した刀だ。

これのお陰《かげ》で私は、貴様にもう一度、死神の力を渡す事ができた……！」

POSTSCRIPT

「死神のみんなからメールくんの、いいなぁ」
本作を読み始めて、最初にハッとした場所がそこでした。

僕は普段、自分のキャラクター達が実際に居たら、というような想像をしません。キャラクター達は常に僕自身の中にある世界に生きている存在であり、それが自分の周りに居たらどうか、というような事はそもそも考える機会が無いのです。

松原さんの小説は、ＢＬＥＡＣＨの世界とキャラクターに対する深い洞察と愛情によって同志の関係性を丁寧に描き込むことで、僕にたびたびその感覚を味わわせてくれます。
そして、本作もまたそうでした。

「The Death Save The Strawberry」

１巻に連なるタイトルを本作に付けた理由は、きっと読まれた皆さんが１番分かっているだろうと思います。

無からの力の獲得の物語であること。
尸魂界から一護への外的、内的な干渉が描かれていること。
そして本作が紛れも無く、一護とルキアの物語であること。

懐かしさと新鮮さの同居する本作の感覚を、僕と一緒に何度も味わって頂ければと思います。

久保帯人

松原真琴です。

四六〇話と四六一話。これは、一護が失っていた死神の力を取り戻し、それに死神たちが力を貸していたことがわかる回です。私はこの二話を、何度も何度も、おそらく一〇〇回以上読み返しました。そのたびに、胸がじわぁっと暖かくなりました。

連載一〇周年を記念してまた小説を書かせていただけることになった際、「あの、『じわぁっ』を増幅させるような小説が書きたい！」と思い、刀にまつわるこの物語を書かせていただきました。

無力な一護を見ていることは、一読者として、とてもつらいことでした。本編では描かれなかった一七か月の間、一護はずっと苦しんでいたはずです。この物語は、そんな一護に捧げる物語です。

最後になりましたが、この本に関わってくださったすべての皆様、本当にありがとうございました。特に久保先生には、重要な意味を持つこのタイトルを付けていただいたこと、そもそもノベライズという形でＢＬＥＡＣＨの世界に関わらせてくださったことを、心から感謝しています。

この本が、皆様の良き友となりますように。

松原真琴

の物語——。

英雄は、生き残ることができるのか

久保先生が描く名シーンを見逃すな!!

どこか見覚えのあるこの女性は…!?

死神最強の称号「剣八」の歴史が明らかに!!

Spirits Are Forever With You I/II

成田良悟

絶賛発売中!!

これは“狭間”

黒崎一護が力を失ってからの空座町…。髑髏面をつけた謎の女が観測された。
さまよう霊魂だと思ったドン・観音寺は、彼女を成仏させようとするが、
それが彼を、「無間《むけん》」から脱走した八代目剣八、破面《アランカル》の子どもたち、
死んだはずの十刃《エスパーダ》、そして十一番隊の戦いに巻きこむことに!!
最新鋭の軍事兵器と斬魄刀《ざんぱくとう》が交差する中、“英雄”ドン・観音寺は生き残ることが、
そして髑髏面の女を救うことができるのか!?

成田良悟が描く、失われた十七か月の物語!!

BLEACH

KUBO TITE × NARITA RYOHGO 久保帯人

■初出
BLEACH　The Death Save The Strawberry　書き下ろし

[BLEACH] The Death Save The Strawberry

2012年9月9日　第1刷発行
2023年6月30日　第10刷発行

著　者／久保帯人 ◉ 松原真琴

編　集／株式会社　集英社インターナショナル
〒101-8050　東京都千代田区一ツ橋2-5-10
TEL　03-5211-2632(代)

装　丁／石野竜生+湯澤勇太 [Freiheit]

発行者／瓶子吉久

発行所／株式会社　集英社
〒101-8050　東京都千代田区一ツ橋2-5-10
TEL　編集部　03-3230-6297
読者係　03-3230-6080
販売部　03-3230-6393(書店専用)

印刷所／図書印刷株式会社

Printed in Japan　ISBN978-4-08-703272-7 C0093

検印廃止

JUMP j BOOKS